頭のいい子が育つパパの習慣

清水克彦

PHP文庫

○本表紙図柄＝ロゼッタ・ストーン（大英博物館蔵）
○本表紙デザイン＋紋章＝上田晃郷

まえがき～子どもを伸ばすのは父親しだい

私は、在京ラジオ局でニュース情報ワイド番組を担当するかたわら、小・中学校受験の現状を取材したり、首都圏の大学で学生たちに時事問題を教え、就職活動のための面接指導などをしている。

そんな中で、私は「子どもを伸ばすのは父親しだい」という確信を強く持つようになった。

ニュースで扱う青少年犯罪は、背景を調べてみると、父親が子どもに対して過干渉だったり、逆に放任してきたことで起こる場合が多い。

父親が医者や歯医者といったエリート一家で相次いだ凶悪事件を取材してみると、ほぼ全てが、このどちらかのパターンにあてはまるのだ。

一方、私立や国立の小・中学校受験で、家族が団結して子どもを志望校に合格させることができた家庭を訪問してみると、父親と子どもの対話時間がほどよく確保されてきた家庭ばかりであることがわかる。

子どもの学力をアップさせ、受験に成功した家庭には、「どの学校を受験するか」だけではなく、睡眠やテレビの視聴時間、食生活やお手伝いなどに関する家庭内のちょっとしたルールも、子どもの考えも踏まえて家族全員の話し合いで決めている、といった共通点がある。

さらに、私自身が講師として教壇に立ち、いくつかの大学の学生と接してみてわかったことだが、世の中の出来事に敏感で、（私はこういった仕事に就きたい）というビジョンを持っている学生は、小・中学生の頃から父親の影響を色濃く受けてきた学生が多い。

「よく父と経済の話をしていましたから金融関係に進みたいです」

「父がいつも楽しそうに街づくりの面白さを話してくれていたので、不動産か建設会社が希望です」

こうした声から判断しても、家庭の力、とりわけ父親の力は、子どもの成長を左右する大きな要素になることがわかる。

言うまでもなく、子どもたちが学ぶ場所は、特に小・中学生の場合、学校と家庭が中心になる。

しかし、このうち学校教育は、いくら政府が「教育再生」を最重要課題として推進し続けたとしても、効果が上がってくるまでに、かなりのタイムラグが生じると思われる。

改革に現場の混乱はつきもので、仮に「ゆとり教育」路線を転換して授業時間数を増やしたとしても、そして、教員免許更新制などの導入に踏み切ったとしても、数年間は先生たちの間で動揺と反発が生じてしまうだろう。

加えて、今の公立校では、先生が国や都道府県などから届く年間数百本もの調査文書の作成や児童生徒の生活指導に追われ、忙殺されている問題もある。

文部科学省が実施した勤務実態調査によれば、公立校の先生の残業時間は一日平均で約二時間に達し、勤務中の休憩時間はわずか十分程度しかないという。

これでは当面、学校教育に多くのことは望めず、子どもを確実に伸ばせる場所は家庭しかないということになる。

ここでひとつのデータを見ていただきたい。

次に示すデータは、子どもが首都圏の難関私立中学に合格した一〇〇家族を対象に実施した独自調査の結果である。

もちろん、子どもを伸ばす＝難関中学に合格させること、ではないが、少なくとも激戦を勝ち抜くだけの学力を身につけさせたことも、子どもを伸ばした成果と考えることができると思う。各家庭でどんな風に子どもに接してきたかを読み取ってほしい。

◆家庭で子どもと接する場合、特に何か気をつけてきたことはありますか？（開成、麻布、駒場東邦、海城、桜蔭、女子学院、豊島岡女子、慶応普通部などに子どもが合格した一〇〇家族を対象にアンケート　※複数回答）

1　できる限り、親子で話をしながら食事をとることを心がけた……六八家族
2　新聞やニュースを見ながら世の中の出来事や仕組みについて会話をした……五四家族
3　叱るよりほめることを意識し、子どもの力を信頼してきた……五一家族
4　社会や理科は実生活から学ばせたいと考え、見学や観察を生活に取り入れた……三九家族
5　テレビ（パソコンやゲーム含む）を見る時間を制限した……三七家族
6　子どもを交え、家族で夢や特技について語り合った……三二家族

これを見れば、どの家庭も、親子の対話を重視し、机上の受験勉強だけでなく、さまざまな体験を踏ませ、家族間の対話や規律ある生活を大切にしてきたことがうかがえる。

その中心にいたのが父親である。

「塾や学校でつける学力だけでなく、父親が社会の動きなどを息子に話してくれたことが大きかった」（開成中合格者の母親）

「父親が娘に学習する楽しさを教え、机に向かう習慣をつけてくれたことが合格につながった」（桜蔭中合格者の母親）

このように、首都圏でも特に難関と呼ばれる中学に子どもを合格させた家庭のほとんどが、父親の積極的な教育参加によって子どもを伸ばしてきたのである。

皆さんの中には、（中学から私立に子どもを入れることができる家庭は、進学塾や家庭教師に潤沢に教育費を投下できる特別な家庭だ）という思いがあるかもしれない。

しかし、難関中学に合格させた親たちの教育姿勢は、アメリカの心理学者で子どもたちの精神発達に詳しいエレン・ウィナー氏が、著書『才能を開花させる子供たち』の中で記した、子どもを伸ばす一般的な家庭の特徴と見事に一致している。

◆伸びる子どもを育てる家庭の六つの共通点（出典：『才能を開花させる子供たち』日本放送出版協会）

○才能ある子どもは一家の特別な子どもである。
○知的刺激に富む家庭である。
○子ども中心の家庭である。
○意欲的な親である。
○子どもの後押しに熱心であるばかりでなく、自主性も尊重する家庭である。
○高い期待をかけるだけでなく、子どもを慈《いつく》しみ精神的な支えとなる家庭である。

つまり、中学受験をさせる・させないにかかわらず、また、親の収入や塾に投入した金額の多寡とも関係なく、親の接し方ひとつで、子どもは伸びたり伸びなかったりするということである。

・親が食生活や睡眠時間などを大事にすれば、子どもも体力がつき、何をしても集中してやるようになる。
・親が仕事や社会の出来事について話して聞かせれば、子どもは自然と世の中に目を向けるようになる。

・親が夢を語れば、子どもも将来の夢を持つようになり、学ぶ意欲が向上する。

これらは現在、立命館小学校で副校長を務める陰山英男氏や民間人校長として東京・杉並区立和田中学校を大きく変えた藤原和博氏らから取材した話をまとめたものだが、彼ら「カリスマ教師」と呼ばれる教育者ですら、異口同音に、「子どもを伸ばすには家庭教育がもっとも大事」と語っている。

中でも共通しているのが、「子どもを伸ばすのは父親しだい」「日頃の父親の姿勢によって子どもは変わる」というキーワードなのである。

私は、本書『頭のいい子が育つパパの習慣』の中で、こういった声も含め、これまで多くの学校関係者や教育関係者に取材してきたことをベースに、「どんな父親なら子どもを伸ばせるのか」「父親がどういう生活をすれば、子どもの学力は向上するのか」などをテーマに、詳しく述べていきたいと思う。

加えて母親や祖父母を含め、何とかして子ども（孫）を伸ばしたいと考えている人にも、ちょっとしたヒントになれば、これほど嬉しいことはない。

清水克彦

トビラ・本文イラスト　上田三根子

頭のいい子が育つパパの習慣

目次

第2章　父親は子どもの能力を引き出すプロデューサー

第3章　頭のいい子が育つ生活習慣

第4章　父親は社会を教えるニュースキャスター

第5章　下流親から抜け出そう

第1章

父親が定時に帰ると、子どもの学力はアップする

1　週に三回は家族で夕食をとろう

アメリカ大リーグ・レッドソックスで活躍する松坂大輔投手。松坂家では、大輔投手が横浜高校で寮生活を始めるまで、家族四人で夕食をとることを日課にしていた。

「うちは特殊な家族かと恥ずかしくなることもありましたよ。何をするにも一緒だから」

大輔投手がのちにこう述懐するほど一家の結束は固く、それが日本を代表する剛腕投手、そして何よりインテリジェンスの高い投球術を駆使する球界のエース誕生の基礎になっていたように思う。

運送会社に勤務し、勤務時間を選べるという境遇にあった父親の諭さんは、午後四時には帰宅できる勤務時間を選択し、大輔投手や次男の恭平くんのやりたいことに付き合うという方法で、父子の触れ合いの時間を確保してきた。

「お酒が飲めないということもあったけど、同僚と過ごすより子どもと遊んだほうが楽しかったのかもしれませんね」

諭さんは、自宅の外での遊びや夕食時の語らいをとおして、「嘘はつくな」「友だちは大事にしろ」「人前で泣くな」の三つを徹底して教え込んできたという。このこともまた、ファンのみならず取材陣からも愛される今の松坂投手の精神的基盤になっているのである。

子どもと夕食をとるという父親の姿勢は、スポーツだけでなく学力にも大きく影響を与える。広島大学の山崎博敏教授らの研究グループが広島県や島根県などの小・中学生を対象に実施した調査では、次のような結果が明らかになった。

◆家庭環境が小学生の学力に与える影響（二〇〇五年十一月に小・中学生を対象に実施した調査から抜粋）

○夕食を一人で食べることがあるか

・まったくない……偏差値五一・一九
・あまりない………偏差値四九・二三
・ときどきある……偏差値四八・二八
・よくある…………偏差値四四・八八

調査結果が物語るように、子どもがひとりでポツンと夕食を食べているような家庭では、子どもの学力が低いことがわかる。

かつてテレビドラマで、平岩弓枝さん脚本、水前寺清子さん主演の『ありがとう』（一九七〇年・TBS系列）や、向田邦子さん脚本の『寺内貫太郎一家』（一九七四年・TBS系列）などでは、家族で食卓を囲むシーンが度々見られたものだが、親子でときには口喧嘩しながらでも、いろいろな話をしつつ食卓を囲む習慣が、子どもの学力をアップさせるのである。

例年、東京大学への合格者が全国トップを誇る開成学園の加藤丈夫理事長は、

「子どもの学力を伸ばすには家族の対話が不可欠です。それには父親が定時に会社を出て家庭に帰ることです。開成中学や開成高校に入って伸びる子どもは、父親ときちんと対話の時間が確保されている家庭のお子さんです」

と述べている。

また、百ます計算で知られる立命館小学校副校長の陰山英男氏も、

「夜七時の食卓を囲んだ家族団らんのひとときを週に一回でも取り戻してほしいです。小学校を卒業し中学に入っても学力が伸びていく子どもは、父親の支えがある子どもが多いのです」

と語っている。

これは、難関中学に子どもを合格させた多くの家庭でも実践していたことだ。仕事に追われる父親が毎日、夜七時までに帰宅することは難しいかもしれないが、週に最低一度は早めに帰宅し、息子や娘と話をしながら夕食をとってほしい。そうすれば、土日と合わせて週に三回は、子どもと夕食をとれることになる。

私自身も激務といわれるマスメディアの人間だ。ニュース情報ワイド番組のプロデューサーをしている以上、何時に帰宅できるかわからない毎日だ。

それでも、東京の私立小学校に通う娘と、月～金のうち平均三回程度は夕食をとるようにしている。土日を含めると五回は家族で夕食をとる計算だ。

そのために午前九時半出社のところを二時間前倒しして七時半にした。午前中に大半の仕事を片づけ、午後の時間にゆとりを持たせる工夫をしている。

そして、翌日の番組の準備が終わり、大事件さえ起きていなければ、午後四時前には「お先に！」と会社を出るようにしている。

効率的に働き、残業をしない働き方のほうが、残業代を抑えたい企業側にも評価され、周囲の目にも格好よく映る時代なので、皆さんも定時で仕事を終え、子どもと語らいながら夕食がとれるよう勤務時間をやりくりしてみてはいかがだろう。

2　お風呂の中で学校の話を聞こう

平日に一度でも家族そろって夕食をとる場合、必ずやってほしいことがある。それは、テレビを消すことと、子どもの話を聞いてあげることだ。

農協の全国組織で作る「朝ごはん実行委員会」が二〇〇五年二月、首都圏の小学五、六年生を対象に食事時の絵を描いてもらったところ、親子の対話が乏しい家庭の子どもは、父親や母親を「人マーク」で描いたり、顔にまったく表情がない絵を描いたという。

中には、食卓のうえにおにぎりだけが描かれていたり、親子の姿はなく巨大なテレビだけがメインで描かれていた絵もあった。

せっかく父親が夕食に間に合うように帰宅しても、家族で黙々と食べ物を口に運んだり、テレビを見ているだけでは意味がない。食卓は家族のコミュニケーションの場なので、まずテレビを消すことから始めてほしい。

テレビを見ながら食事するという習慣がなくなれば、子どもは自然と話をするようになる。

元来、子どもは話したがり屋で、今日学校であったこと、先生のこと、友だちのこと、給食のことなどを父親にも聞いてほしいと思っている。

子どもが話を始めたら、父親は、「へえ、そんなことがあったの？」「それで、○○ちゃんはどうしたの？」「それはよく頑張ったね」などと相槌を打って、子どもを乗せてあげることが大切だ。

それらをきちんと聞いてあげることができる父親には、さらに、学校で起きた嫌なことや悩み事なども相談してくるようになる。

そうはいっても、仕事の都合で平日に一度も夕食の時間に間に合わない父親もいるだろう。

そんなときは、お風呂の中で子どもの話を聞いてあげよう。お風呂はもっともリラックスする空間だ。しかも母親がいないので、（お父さんだけに話したい）と思っている内容も話してくるケースが多い。バスタイムは、コミュニケーションだけでなくスキンシップもはかれて一石二鳥の時間になる。

また、たまにであれば、夜九時頃、父親の帰宅時間に合わせて、おやつタイムというのもいい。何かを食べさせるのが目的ではなく、家族がそろって話をするということが、子どもの精神を安定させ、その結果、学力も伸ばすことになるからだ。

3 仕事の話を食卓に持ち込もう

「仕事は家庭に持ち込まない」という人がいる。私も自宅に帰ってまで番組の台本を書いたり、出演者と電話で打ち合わせなどしたくないので、極力、仕事は外で片づけている。

しかし、仕事の話は家庭にどんどん持ち込むように心がけている。なぜなら、今日、会社であった出来事や見聞きしたニュースを子どもに話して聞かせることが、子どもの視野を広げたり、職業観を植えつけることにつながるからだ。

難関中学に子どもを合格させた家庭の中に、製薬会社に勤務する父親がいた。彼は、機会があるごとに食卓やファミリーレストランなどで、製薬業界のことや医療の現場の話などを小学生の息子と娘に、低学年の頃から話して聞かせたという。

「こういう薬が国で認められると、これだけの人が助かる」

といった話から、

「この間、ちょっと面白いお医者さんに会ってね……」

といった話まで、子どもに事細かく説明してきた。中学受験という短期的な目標のためではなく、長男・長女を、社会問題化しているニートやフリーターにしないためだ。

その結果、息子は「苦しんでいる人を助ける仕事に就きたい」と語るようになった。娘も「お医者さんになりたい」と具体的に職業名まで挙げて夢を語るようになったという。

将来はこうなりたいというモチベーションが高まれば、勉強への意欲も湧く。低学年時代、学業成績は真ん中あたりだった息子は海城中に合格し、娘も医学部進学を想定して女子学院中に合格と、兄妹そろって東京でも屈指の難関中学に進学した。

私も現在、小学生の娘に、「マスメディアとはこんなところ」「プロデューサーやアナウンサーってこんな職業」に始まり、国会で起きていることや北朝鮮の脅威など、ニュースについても話すようにしている。

どこまで理解できるかはともかく、娘に正しい職業意識が身につき、世の中の動きにも目を向けてくれれば、と念じてのことだ。

会社で失敗したこと、大人の社会にだっていじめがあることなども含めて話し、「どうしたらいいと思う？」と相談を投げかけてみたりすると、家族の結束が深まると同時に、子どもにも考える力がついてくる。

4 子どもに「頑張れ！」と言わない

食卓で父子の対話が増えると、つい口走ってしまう言葉がある。

それが「頑張れ！」である。

「今日、理科のテストがあってね。クラスで七番だったんだよ」

「えっ、七番？　じゃあ次は一番がとれるように頑張れ！」

「明日、運動会のリレーの選手を決めるんだよ」

「そうか、じゃあ選ばれるように頑張れ！」

私などもしばしば、この「頑張れ！」を多用してしまうが、「頑張れ！」の乱発は、知らず知らずのうちに子どもにとって重圧になるので避けたほうが賢明だ。

両親が高学歴の家庭ほど、「頑張れ！」を多用してしまう傾向がある。

（自分が小学生の頃はもっと成績がよかった）

などと考えてしまうと、ついつい叱咤激励《しったげきれい》が過ぎてしまうというわけだ。

これは、「勉強しなさい」も同じだ。

子どもにとっては母親よりはるかに恐い父親が、「宿題は済ませたのか？」「さっさと勉強しなさい」と言えば、子どもはあわててランドセルを開けたり、問題集に取りかかってみたりするが、親に強制されて無理矢理やらされる勉強というものがしだいに嫌になってくる。勉強は「勉《つと》めて強《し》いる」と書くが、文字通りそうさせてしまうと長続きしない。

それよりも、挑戦してみることは楽しい、勉強することは面白い、得をする、ということを教えることが先だ。

「理科のテストで七番？　すごいじゃないか。じゃあ次は何番になりたい？」

「明日、リレーの選手決めか？　ライバルは誰だ？　どうすれば勝てると思う？」

こういった会話なら、子どもの心も弾む。

「英語が話せるとね、世界中でお友だちができるよ」

「算数ってゲームみたいだよね。全部正解したらすごく気持ちいいよ」

このように、なかなか勉強に取りかかろうとしない子どもには、「勉強＝面白い」というイメージづけをしてあげることが大切だ。

試験やスポーツの大会当日でも、「頑張れ！」ではなく、「楽しんでこいよ」「思いっきりやっておいで」と声をかけたほうが結果は吉と出る。カツを入れたいなら、「一番をとってこい！」のほうが気合いが入るというものである。

5 前進したことをほめよう

父親であるあなたが職場でもっとも喜びを感じるのはどんなときだろうか？業績がアップし上司から評価されたとき、あるいは、取引先や顧客など外部の人間から感謝されたときではないだろうか？

子どもも同じだ。

子どもが一番喜ぶのは、親に評価されたときだ。「よくやったね」「えらいね」「頑張ったね」とほめられることが、子どもの心をもっとも躍動させる。

先ほどの例でいえば、「理科のテストで七番だったよ」と言われ、前回の八番よりアップしていたなら、「よくやった。ひとつ上がったな」とほめてあげよう。リレーの選手決めで見事、クラス代表を射止めて帰宅すれば、「すごいじゃないか」と絶賛してあげよう。

そうすることで、子どもは、

（よし、次はひとつでも順位を上げてやる）

（本番の運動会ではお父さんにいいとこ見せてやろう）

と張り切るに違いない。

もし逆のパターンでも叱責は禁物だ。

前回、クラスで六番だった理科のテストが七番に下がったとしても、「ダメじゃないか」「何やってんだ」ではなく、「どうして下がったんだと思う？」「じゃあ次はどうしたいかな？」といった聞き方をしてみるといい。

リレーの選手決めで落選しうなだれて帰宅した場合でも、

「次点だったんだろ？　よくやったじゃないか」

と労をねぎらい、

「来年に向けてお父さんとスタートやコーナリングの練習をするか？」

と、子どもの自信回復につながる話し方をしよう。

「○○ができなければ△△を取り上げるぞ」

「○○をしたらお父さんは怒るよ」

「まだ上がいるじゃないか。もっと頑張れ！」

などと子どもに圧力をかけるのではなく、

「○○をするなんてすごいね」

「○○ができたなんてお父さんはうれしい」

と話しかけてあげよう。

中には、子どもが小学校高学年ともなると、(何から話していいのかわからない)(子どもが何を考えているんだか見当もつかない)という父親がいるが、(いつもお前のことを気にかけているぞ)というメッセージが伝われば、父子関係は最低限OKだ。

「最近、どうだ?」と声をかければ、子どもからの返事は「別に」で終わってしまい、「勉強、ちゃんとやってるか?」と聞けば、「やってるよ」というあっけない返答で終わってしまいがちだが、

「五〇メートル、何秒で走れるようになった? お父さんは遅かったよ」

「今、一番好きな科目は何だ? お父さんが小学生の頃は社会科だったな」

などと具体的に聞いてあげる姿勢が肝要《かんよう》だ。

6「うちの子はできる」と思うことから始めよう

ハーバード大学の心理学者、ローゼンタール氏とヤコブソン氏が実施した実験結果にピグマリオン効果というものがある。

子どもたちに知能テストを実施したローゼンタール氏らは、子どもたちの担任の先生に、「この子どもたちが近い将来、学力が大きく伸びる子どもたちです」と何人かの名前を挙げた。

実は、名前が挙げられた子どもたちは別に成績がよかったわけではなく、ローゼンタール氏らが無作為に選んだ子どもたちだったのだが、数ヵ月後、他の子どもたちに比べ、学力が飛躍的に伸びていたのである。

つまり、「この子は伸びる」と先生に思われた子どもたちの学力が実際に伸びたことになる。おそらくこの担任の先生は、名前が挙がった子どもたちに、無意識のうちに相応の指導方法をとったのだろうが、先生がローゼンタール氏らの言葉を鵜呑みにし、期待をもって接したことで、無作為に選ばれただけの子どもたちは、本当に学力を伸ばしてしまったのだ。これがピグマリオン効果だ。

もともとピグマリオンとはギリシャ神話に出てくるキプロス島の王の名前で、自分が彫った女像に恋するうちに、女像が生命を得て、王と結婚するというストーリーで知られている。

これを子どもの教育に言い換えれば、親がまず子どもの可能性に確信を持ち、「この子は伸びる」と思って接すれば、そうでない子どもに比べて大きく伸びるということになる。

「こいつはダメだ」「頭も性格も悪い」「トンビがタカを生むわけがない」などと考えてしまえば、逆ピグマリオン効果で、学力が伸びず、性格もねじ曲がった大人に成長してしまうかもしれない。

難関中学に子どもを合格させた家庭には、子どもに加点法で接してきた親が多い。

受験という過酷なマラソンレースの中では、（この子はダメなんじゃないか）（お兄ちゃんより成績が悪い。志望校を下げよう）（このままでは全敗してしまう。いっそ受験を断念しようか）といった不安からネガティブになりやすい。

しかし、志望校合格という目標を達成できた家庭は、（そのうち伸びるだろう）（お兄ちゃんより国語の成績は悪いが、算数はむしろいいくらいだ）（目指しているものを途中でやめるのは今後の人生にマイナス。この子はきっとやってくれる）と、一貫してプラス思考で考えてきたことが、以心伝心、子どもにも伝わり、好結果が出せたのだと私は考えている。以下の点を再確認しておこう。

○子どもの人格を否定する叱り方はしない

「本当にダメな子だ」「のろまなやつだ」「お前はなさけないやつだ」などは厳禁。子どもの心にグサッと刺さってしまい、なかなかとれなくなる。

成績が伸び悩んだり、なかなか机に向かわないときなど、ショックを受けたりカッとなったりするものだが、「こんな成績じゃ、麻布中は到底受からないぞ」「何をやってるんだ。夏の講習がちっとも身になってないじゃないか」といったような圧迫感を与える叱り方は避けたい。「何だ？　この国語の成績は？」を「算数はよくなったな。きっと国語だってできるよ！」に変えよう。

○兄弟姉妹と比較するのはやめよう

「お兄ちゃんはできたのに」「妹だってできるのに」などと言われるのは、子どもにとって屈辱。憎しみの対象が親だけでなく兄弟姉妹にも広がってしまう。

○プラス思考で子どもを見つめよう

「うちの子はダメだ」と思ってしまうと、一挙手一投足が腹立たしくなってきたりするものだ。やんちゃな子は「活発な子」だと思い、時間にルーズな子は「自分のペースで周囲に惑わされず生きていける子かも」と思う。国語ができなくても「数学的なセンスはあるかも」と考える。何事も表裏一体に考えればよい。そして何より、「明るく元気に育っているならそれでいい」と思おう。

○結果だけでなくプロセスや内容を具体的にほめよう

「成績が伸びたのは朝早く起きて漢字の書き取りを頑張ったからだよ」「今度の作文、ディズニーランドのどこが楽しかったか詳しく書かれていていいなあ」などと、何がよかったかを細かくほめると子どもの喜びは倍増する。

○叱りたいとき、親自身がひと呼吸置く

子どもの態度に腹が立ったら、深呼吸するなり、ひと呼吸置くことを勧める。冷静になれば、子どもを叱る言葉遣いが、こんな風にコントロールできるようになる。

「いつまで歯を磨いてんだ」→「歯が磨けたら早くお休み」
「朝寝坊するなと言っただろ」→「早起きすると気持ちいいよ」
「食器くらい片づけたらどうだ」→「後片づけ、手伝ってくれると助かるなあ」

7 父子で将来の夢を語ろう

「お父さんは将来、何になりたい？　どんなことしたい？」

難関中学に子どもを合格させた家庭の中で、子どもからこんな風に質問されてドギマギしたという父親がいた。

（『何になりたい？』って聞かれても、きっと定年まで公務員だしなあ）（年をとるまで今の仕事を続けていくに決まっているだろ）

つい、このように思ってしまいがちになる。しかし、ちょっと待ってほしい。

普段、子どもが接する社会人といえば、学校の先生たちと両親だ。中でも子どもの知らない世界で活躍している父親から発せられる言葉は、子どもに大きな影響を与える。

ましてや、常日頃から、子どもに将来に向けて頑張ること、努力することを求めている父親ならなおのこと、子どもは、（じゃあ、お父さんはどんな夢を持っているの？）（この先、どうなりたいの？）という疑問を抱くものだ。

先にご紹介した父親は、

「お父さん？　お父さんはね、東京・豊島区という街を世界一、安全で暮らしやすい街にしたいんだよ。そのために役所の中でもっともっと偉くなって、お父さんのアイデアで街を変えていきたいと思っているんだよ」

と答えたという。これなら、（お父さんも頑張っているんだな）と子どもは感じ、（僕は○○になろう）（私も○○を目指そう）と、夢を持つようになる。

私の場合、娘に、マスメディアの仕事について説明しながら、

「ひとりでも多くの人に、今、何が起きているかをパパなりのメッセージとともに伝えたいんだ。まずは日本一のラジオ番組を作ることが夢かな」

などと話している。その次に、

「ミリオンセラーになるような本を書いて、大学教授になれれば満点かな」

と付け加えている。娘も、

「そうなったらすごいよ。大きな本屋さんのランキングで一位になって、早稲田大学の先生になれたらいいね」

と目を輝かせながら聞いている。大学教授はともかく、ミリオンセラーを書く才能などないのだが、私はこれでいいのだと思う。親自らが夢を持ち、それを子どもに話して聞かせることが、子どもにも夢を持たせる第一歩だと考えている。

難関大学合格をスローガンに、日本で初めて株式会社が作る中学校となった岡山・朝日塾学園の鳥海十児学園長もこのように語っている。

「家族で将来の夢について語り合い、あわせて短期的な目標を作ってみるといいと思います。お父さん、お母さん、長男、長女など別々にです。そうすると、家族の対話の材料になりますし、それぞれのモチベーションが違ってきます」

何も難しい話ではない。正月や七夕などの行事に便乗し、家族で五年先、十年先に実現したい夢を書き出してみる。あるいは、月初めや年度初めに、「今月の目標」「今年のテーマ」を作って、冷蔵庫に磁石でポンと貼り付けておけばＯＫだ。

父親「今月は営業成績でトップになる」「数年後には支店長になる」
母親「できるだけ早くパート先を見つける」「十年後には新しい家に引っ越す」
長女「次の模擬試験で順位を上げる」「医学部に合格する」
長男「もっと遠くへボールを投げられるようになる」「甲子園に出て優勝する」

こんな風に、家族それぞれが目標を掲げ、その実現に向けて動こうとする習慣が子どもを伸ばすのである。

8 子どもの前で本を読もう、辞書を引こう

早めに帰宅し、子どもと対話をしていると、突拍子もない質問に面食らうことがある。

「イモリとヤモリ、どこがどう違うの？」

「夜空に見える『夏の大三角』ってなあに？」

（確か昔、習ったよな）と記憶をたどってみるのだが、どうもうまく説明できないことが多々あるものだ。

そんなとき、一番まずいのが、面倒くさがって「自分で調べなさい」と突き放してしまうことだ。

子ども心は興味のかたまりである。興味や好奇心から学ぶことはスタートする。興味の芽を「面倒くさい」という理由で摘んでしまっていいものだろうか？

次によくないのが、インターネットで調べることだ。

私が勧めているマスメディアの世界でも、何かについて調べるとき、新聞のスクラップから探したり、関係機関から資料を送ってもらうといった手間をかけるディ

レクターや放送作家がほとんどいなくなった。

台本を作成するために必要な資料探しも、すべてをネットで済ませるので、作成までのスピードは短縮できるが内容に深みがなく、本人も苦労を知らないので、調べた中身が頭に残らず、自分の貯金になっていかないのだ。

子どもの問いかけも同じである。ウェブ上で探せば、イモリとヤモリの違いも、「夏の大三角」もたちどころにわかるが、これでは子どもに楽をすることを教えているようなものだ。掛け算や割り算が面倒くさいので、いきなり電卓を使って答えをはじき出すようなものである。

質問を受けたら、父親が楽をしようと思わず、図鑑や百科事典を引っ張り出してみることだ。

近頃ではネットですべてが検索できるとあって、ひと昔前まではどの家庭にもあった図鑑や事典を購入しない家庭も増えているが、できればそれくらいは買って、子どもの疑問にはすぐ答えてあげる態勢をとっておくことが望ましい。

子どもの興味は（今すぐ知りたい）という欲求なので、「あとで調べよう」では効果が薄れる。

図鑑や事典がある家庭なら、父親と子どもが一緒になって調べてみよう。答えがなかなか見つからず苦労したとしても、苦労した分、答えにたどり着いた喜びは大きい。子どもも調べる楽しさを体得することになる。

辞書も同じである。

先に紹介した陰山英男氏が副校長を務める立命館小学校では、深谷圭助教頭による辞書引き学習法が注目を集めている。

これは深谷教頭が愛知県刈谷市の公立小の教員だった頃から実践しているメソッドで、小学一年生から辞書引きを励行させることによって学ぶ意欲を引き出すというものだ。

「朝のモジュールタイム」と銘《めい》打った時間には、陰山氏直伝の百ます計算や音読のほか、この辞書引きも実施される。

調べたことには付箋《ふせん》をつけさせるので、しだいにその数が一〇〇〇枚、二〇〇〇枚、そして三〇〇〇枚へと増えていく。子どもは増えていく付箋に達成感と喜びを感じ、さらに言葉を引いていくようになるというのである。

この立命館メソッドとも言うべき辞書引きを家庭にも応用したいものだ。

たとえば、子どもが通っている小学校で「四字熟語」や「同音異義語」について調べてきなさい」といった宿題が出たとき、ネット検索で済ますことなく、まず親が辞書で確認する習慣をつけてほしい。そして子どもにどんどん辞書を引くことを教えてほしい。

テレビを見ているときや本を読んでいるとき、あるいは新聞を読んでいるときでも、子どもが「この意味なあに？」と聞いてきたら、答えを知っていても辞書を引かせてみることが必要だ。

そのためにも漢和辞典や国語辞典などは食卓かリビングに置いて、すぐに引くことができるようにしておこう。

9 子どもと一緒に散歩をしよう

父親が夕食に間に合うように帰宅できた日は、食前でも食後でもいいので、自宅の周辺を子どもと散歩してみてはいかがだろうか。

以前、早稲田実業学校初等部の初代校長、依田好照氏が、早稲田が望む理想の子ども像についてこう語ってくれたことがある。

「夕日と聞けば、心の中に美しい夕焼けを映し出せる子ども。みずみずしい感性ときらきらした目を持った子ども。そんな子どもを早稲田は求めています」

首都圏の小学校受験でもっとも人気がある学校のひとつ、早実の初等部は、そういった子どもが入学したあと伸びる子どもだと判断し、お受験塾で鍛え上げられてきた子どもではなく、子どもらしい子どもを選抜できるよう入試問題を工夫し合否を決定しているのである。

では、依田氏が言うように、子どもが「心に美しい夕焼けを映し出す」ようになるにはどうすればいいのだろうか。私は、住んでいる町や地域を知り、愛するようになることだと思う。

人が夕焼けを思い浮かべるとき、心のスクリーンに映し出される映像は生まれ育った地域で見た夕焼けではないだろうか。

都会に住んでいる人なら摩天楼を染める夕焼け。田舎に住んでいる人なら、ふるさとの山や海に沈んでいく夕日であろう。

人にとっては育った場所が原体験のステージになるからである。

だから私は、親子で近所を散歩することをお勧めしたい。散歩をすれば、近所の公園に咲いている四季の花々や木々の移ろいに季節を感じることもできる。

また、工場や公共施設、神社仏閣などの前を歩きながら、父親が町の産業や歴史などについて話して聞かせれば、地域にも詳しくなる。それが子どもの目を社会に開かせ、郷土を愛する気持ち、ひいては自分で自分の命を絶ったりすることのない、自分を愛する気持ちへとつながっていく。

さらに、犬などを連れて散歩をしていると、犬を飼っている者同士、お散歩仲間が増えて、子どもでも地域の大人と交わることも可能になる。

心の中に郷土を持つことは生きる張り合いにつながる。直接的に学力アップにはつながらないまでも、生まれ育った地域を大切にし、自分の存在も大切に思う気持ちが、長い年月をかけて、子どもをまともな大人へと育む糧《かて》になるのである。

10 職場から子どもに電話をかけよう

幼稚園の年長や小学一年生あたりになると、子どもは父親が仕事で多忙なことを理解しているものだ。私の娘も当時は、「今日は疲れたよ。ゆっくり休ませてくれよ」という私の口ぐせをまねしていたものだ。

それだけに、外で汗水流して働き、多忙を極めている父親が、自分のことを気にかけてくれていると知ると喜びが倍増する。

父親が仕事が忙しいことを理由に、子どもをかえりみないでいると、子どもは思春期を待たず父親離れしていくか、淋しさのあまり、気持ちが不安定になっていくものである。

先に松坂大輔投手の父親、諭さんの話をしたが、イチロー選手の父親、鈴木宣之さんもまた、部品会社を経営する多忙な身でありながら、夜の接待や打ち合わせを断って、当時、イチロー少年と野球遊びをすることを優先させてきた父親だ。

「『急に仕事が入ったのでまた今度な』では、子どもの心が傷つきます。忙しいからダメというのは大人の論理で、子どもの目線に立っていませんよね」

これが、メジャーリーグを代表する好打者、天才イチローを育てた父親の教育方針である。

そうは言っても、会社勤めの場合、残業が長引き、帰宅が深夜になる日もあるだろう。「明日は早く帰るから近所の公園へ行こうな」などと約束をしていても、反故《ほご》にしなければならないことだってあるはずだ。

しかし、父親の帰りを楽しみにしている子どものことを考えると、残業中に、「今日、学校はどうだった？」と電話一本、子どもあてに入れることをおすすめしたい。

出張のときも同じだ。商談が終わって携帯電話から、あるいは宿泊先のビジネスホテルから電話を入れてみよう。時差を考えなければならない海外出張先からでも、電話を入れたり絵はがきを出したりしてみると、子どもに与えるインパクトは大きい。

その日、テストができなくて落ち込んで帰宅しているかもしれない。クラスメートといさかいがあった日かもしれない。逆に父親に喜んでもらいたい嬉しい報告がある日かもしれない。そんな日に一本の電話……これが子ども心に効くのだ。

11 子どものために会社を休もう

「平日に子どもと夕食をとることなんて皆無。とにかく多忙で不規則で昼夜逆転の毎日でしたから」

こう語るのは、長男を難関中学のひとつ、神奈川の栄光学園などに合格させたテレビプロデューサーだ。

情報バラエティ番組の担当者で、いつ休みがとれるかわからないという彼だが、子どもとの接点を持つために、平日、会社を休んだことがある。

雨で運動会が順延され月曜日になったときや、平日に行われた音楽発表会のときなど、小学校六年間で数回、職場を休んで学校へ駆けつけたのである。

「息子のことはほとんど母親任せでした。学校のことも塾のこともノータッチでした。でも、何かしてやらなくては、と考えて会社を休んだんですよ。そうしたら喜んでくれて、今でも息子は、『運動会に来てくれたことが受験で合格したことよりも嬉しかった』と話すくらいです」

残業中や出張先からの電話と同様、忙しい父親が自分のために会社を休んでくれたのかと思うと子どもは嬉しいものだ。

心の中で（お前のことを大事に思っているよ）と何度繰り返しても、言葉や態度で示さなければ子どもには伝わらない。（親子なんだから、黙っていても理解してくれるだろう）と思うのはまちがいだ。

前述した開成学園の加藤丈夫理事長は、東京・大崎に本社がある富士電機ホールディングスの会社役員でもあるが、社員に対し、

「できるだけ休みをとって家族サービスをしてほしい。運動会や参観日のときなど、子どものために仕事を休むくらいの社員であってほしい」

と呼びかけているくらいだ。

皆さんの中には、（うちの上司はそんなに甘くない）（休めば仕事が減らず、自分の首を絞めてしまう）と思う人もいるだろう。

しかし、子どもにとっては、小学三年生の夏休み、小学五年生の運動会は一生に一回しかない。そう考えて、子どもとの時間を作ってほしい。

（パパは僕のために会社を休んで参観に来てくれた）（お父さんは仕事を延期して発表会を見てくれた）という思いが、父子の絆を深め、それが（勉強だって頑張るぞ！）というエネルギーにつながっていくのである。

12 父親はサルからゾウになろう

「子どもに生きる支えをひとつでも身につけさせてほしい」

このように述べるのは、元文部科学大臣で、現在は松下教育研究財団の理事長を務める遠山敦子氏だ。

生きる支えとは、「挨拶」「親切」「思いやり」「読書」「自立」「努力」「勇気」「学ぶこと」「考えること」、そして「世に尽くすこと」「志を高く持つこと」などだが、遠山氏はこれらのうち、ひとつでも子どもに身につけさせてあげることが親の責務だと説いている。

問題は身につけさせる方法だ。

以前なら、「子どもは親の背中を見て育つ」のことわざどおり、自然のうちに、両親の姿を見て自ら学んだものだ。

ところが今は、インターネットに携帯電話、さらには過激なテレビ番組や家庭用ゲーム機など、子どもにとって刺激的なメディアが氾濫し、ともすると、子どもの関心は親以外のところに向かってしまう。

「メディアの前で常に受け身でいることに慣れた子どもたちは、自ら学ぼうとしない。自ら動こうとしない。自ら直そうとしない」

これは樫山奨学財団の幹部が私に嘆いてみせた言葉だが、まさにそのとおりで、「親切」や「思いやり」を教えたくても、まず親が模範とならなければ、子どもにはいつまでたっても、親切心も人を思いやる気持ちも根づかないであろう。「世に尽くすこと」も「志を高く持つこと」も、まず親が率先してやってみることが、子どもの意識を喚起する一番の方法だと思う。

そこで父親の出番である。

子どもとの接点が比較的長い母親よりも、父親の言動のほうが子どもには新鮮に映る。日々、仕事を通じて世の中を熟知している父親が語る言葉には、母親以上に説得力があるものである。

しかし、残念ながら事態は逆の方向へと進んでいる。

二〇〇七年三月、内閣府が小・中学生と親を対象に実施した「生活と意識に関する調査」で、父親の四人に一人が、平日に子どもとほとんど接触していない実態が明らかになった。

平日に子どもの顔を見ないという父親は全体の二三%に達し、二〇〇〇年に実施したときより九％も増えているという。

その一方で、平日に一時間以上、子どもと接触している父親の割合は三九％にとどまっており、子どもの悩みについて「知っている」「まあ知っている」と答えた父親も、わずか三一％しかいないことが判明した。

つまり、子どもをかえりみたり、子どもと語ったり、あるいは、子どもの話を聞いたりする時間を持てていない、「見ザル、言わザル、聞かザル」の父親が増えていることになる。

父子関係が希薄化した背景には、父親が仕事を優先せざるをえない状況にあることや、中学受験ブームなどで塾漬けになる子どもが増えたこと、そして先ほど述べたインターネットや携帯電話の普及などが挙げられるだろう。

しかし、このままでは、父子の接点が土日などの休日だけになってしまい、父親が子どもに生きる支えを伝承していく時間などなくなってしまう。

まえがきで紹介したように、難関中学に子どもを合格させた家庭のほとんどが、「父子の対話で学力が伸びた」と語っている。

父親の存在が、子どもの学力を伸ばすうえで大きな要素になる以上、まず父親が子どもと向き合う時間を確保し、子どもの顔を父親に向けさせるところからスタートさせたいものだ。

言うなれば、現代は、「子どもは父親の顔を見て育つ」時代なのである。

仕事が多忙であることは、私も同じサラリーマンとして十分理解できるが、子どもをめぐる環境が変化し、ともすると家族の対話が希薄になってしまう時代だからこそ、父親には、「見ザル、言わザル、聞かザル」ではなく、日頃から、子どもについて、「見るゾウ、言うゾウ、聞くゾウ」というスタンスが求められてくるのである。

第２章

父親は子どもの能力を引き出すプロデューサー

13 勉強は食卓でやらせよう

子どもには、やんちゃな子、おしとやかな子、勉強好きな子、そして、外で走り回るのが好きな子、などさまざまなタイプがある。

それぞれによさがあるので、それをねじ曲げてまで、親が考える「いい子」「理想の子」に仕立て上げようとすると、どこかで無理が生じることになる。

とはいえ、子どもはとかく遊びに目を奪われがちなので、小学生のうちに、学ぶべきところはきちんと学ばせるようにしなければならない。

そこで私は父親に、子どもを伸ばすプロデューサー役を担ってほしいと考えている。

机の前に座る習慣をつけるのは親だ。学び方や学ぶことの楽しさを教えるのも親である。

実際に子どもと接する時間は、共働きの家庭を除いて圧倒的に母親のほうが多くなるだろうが、父親は子どもが学びやすい環境を作り、(遊びも楽しいけど、勉強だって結構楽しい)と思わせるように家庭内を演出してもらいたいのだ。

この章では、そんな願いを込めて話を進めていきたいと思う。

難関中学に子どもを合格させた家庭を取材して驚いたことがある。一応、子ども部屋はあるのだが、勉強は食卓でやらせていた家庭が多いということだ。

「子どもが小学校の低学年時代は、どのようにして勉強したらいいかわからないものです。立派な学習机を購入し、小学校入学とともに子ども部屋を作って安心していると、子どもはどうしていいかわからず、つまずいてしまうものです」

中学受験で実績を上げている首都圏の進学塾関係者や有名私立小学校の関係者も異口同音にこう語っている。

わが身を振り返っても、勉強は、わかるようになると面白く、わからなくなると途端につまらなくなるものだ。

予習、復習、それに学校の宿題や塾の教材などを、まず親が手ほどきするところからスタートさせたい。

「せっかくいい学習机を買ってやったのに、ちっとも勉強しない」

と嘆く父親がいるが、机に向かう習慣がついていない子どもや、何から手をつけていいのかわからず戸惑っている子どもに、「勉強しなさい」「お父さんが帰ってくるまでに片づけておくんですよ」などと追い立てて子ども部屋に放り込んでも、成績が上がるわけはないのである。

これは何も小学校低学年に限らない。小学校高学年でも中学生でも、自宅で勉強する習慣がついていない子どもを、自分の部屋にこもらせるようなことをしてはいけない。

ＯＥＣＤ＝経済協力開発機構の調査によれば、日本の十五歳の学校以外での平均学習時間は週に六時間半だという。この数字は韓国の半分以下だ。

文部科学省の「子どもの学習費調査」（平成十六年度）では、公立中に通う生徒の七四・四％が塾に通い、私立中でも五五・一％が塾に通っているにもかかわらず、一日平均で一時間弱という数字は、家庭でまったく勉強しない中学生が増えている証拠である。

現在の学校教育は確かに頼りない部分が多いが、家庭で勉強しない子どもが多いことも学力低下の大きな原因だと私は思っている。

それを避けるためにも、ともすれば学習机を買い与えて満足しがちな父親が、率先して親の目が行き届く食卓やリビングで勉強するように促してみてはいかがだろうか。

14 立派な子ども部屋を用意しない

埼玉県熊谷市にある住宅展示場で、『頭のよい子が育つ家』（日経BP社）の著者、四十万《しじま》靖氏と地元の住宅メーカーが手がけたモデルハウス「頭のよくなる家」が誕生し注目を集めたことがある。

ロングセラーとなった『頭のよい子が育つ家』は、四十万氏が、開成中や筑波大附属駒場中など難関中学に合格した家庭二〇〇軒あまりを取材し、その共通項をまとめたものだ。

大学附属系では全国で最難関の慶応義塾中等部に合格した子どもは、その日の気分で勉強部屋を変える遊牧民式勉強法だったとか、神奈川の名門、栄光学園中に合格した子どもは、リビングに置いてあった卓球台が学習机だったとか、要するに「豪華な子ども部屋がいかに不要か」を説いたものである。

その四十万氏らが手がけたモデルハウスは、やはり、子ども部屋の充実よりも、子どもが勉強しやすく、家族の対話が弾む工夫が施された食卓やリビングが特徴となっていた。

「子ども部屋にパソコンやテレビを置くと、それにはまってしまうと思い、子ども部屋さえ作らなかった」（麻布中、ラ・サール中合格者の保護者）

「小学校入学まで置いてあったソファーをなくし、リビングに小型の学習机を置いて、いつでも親と対話できる場所で勉強させるようにした」（早稲田実業中、浦和明《あけ》の星《ほし》女子中合格者の保護者）

私も、難関中学合格者の親から幾度となくこういった声を聞いたが、モデルハウスもまた、その先をいく工夫が施されていたのである。

○小学生ともなれば、ちゃんとした子ども部屋が必要だという概念は捨てる。
○中学受験をする家庭でも、受験勉強は家族の生活と切り離したほうがいいという先入観も捨てる。
○食卓を大きめのものにしたり、リビングのソファーセットを子どもの勉強を想定したものに変える。
○本棚は食卓のそばかリビングに置く。
○パソコンコーナーもリビングに設ける。
○すでに子ども部屋があり机などが完備されていても、そこは寝室として利用する程度にする。

○子ども部屋にカギはもちろん、ドアもつけない。いつも親の気配が感じられるようにしておく。

○子ども部屋を設けるなら、狭い部屋にするとか、テレビやパソコンなどを置かないなど、子どもがそこに長時間いないような工夫をする。

これが、私の印象に残った「頭のよくなる家」の概要である。

つまり、先の項で述べたように、子どもが勉強する場所は、あくまで親の目が行き届く食卓かリビングだということだ。

立派な子ども部屋は、子どもを伸ばすにはむしろ逆効果だとモデルハウスは語っているのだ。

子どもを伸ばすには、机や本棚、ベッドにテレビなど、いろいろなものを買い揃えて、子どもの要塞を用意してあげるのではなく、常に家族の気配が感じられるように、そして自分の部屋に閉じこもらないように、父親がインテリアからプロデュースすることが大切だ。

15 子どもが小学生になったらリフォームしよう

(立派な子ども部屋は必要ないし、食卓やリビングで勉強させるメリットも理解できた。かといって、家を新築できるわけでもないし、いったいどうすればいいのか)

そう考える方も多いだろう。一家の大黒柱である父親であればなおのことだ。予算を考えると新築も大幅な改築も難しいが、部分的にリフォームしたりレイアウトを変える工夫はあってもいい。家は子どもが成長する大事な場所だからだ。

私が取材した中には、子どもが小学生になった段階、あるいは中学受験への準備に入る小学三~四年をきっかけに、リフォームをしたり配置換えを実施した家庭がいくつかあったのでご紹介しよう。

小学校入学を契機にリフォームした家庭では、キッチン回りを改造することからスタートした。

言い出したのは父親である。ある講演会で家族の対話が子どもを伸ばすという話を聞き、もっと家族同士のコミュニケーションがとりやすい環境にしたいと考えたのだ。

もともと築十年以上経過していた家を水回りから一新しようと考えていた父親は、母親と話し合い、対面型キッチンにすることを最優先させた。

対面型なら、オープンキッチンと異なり、母親が食卓やリビングにいる家族に背中を向けることなく食事の準備ができるという最大のメリットがある。

「もう少し広さがあれば、L字型とかアイランド型にしたかったのですが……」と語る父親。スペースの関係で一〇〇％満足とはいかなかったようだが、対面型キッチンにしただけで母親が子どもの勉強を見てあげやすくなり、学習効果はかなり高まったのではないかと振り返っている。

それがすべての理由ではないが、この家庭の子どもは、一年生から六年生までずっと学校でもトップクラスを維持し、東京都内でも難関の豊島岡女子学園中などに合格している。

また中学受験への準備開始をきっかけに、自宅マンションの配置換えに踏み切った家庭は、リビングが狭くなってしまうことを覚悟で、子どもを目の届く場所で勉強させようとダイニングテーブルを大きめのものに変え、子ども部屋に設置していた本棚やパソコンもテーブルの隣に持ってくるなどした。

この家庭も配置換えを思いついたのは父親だった。

受験はともすれば子どもを孤立させてしまうと考えた父親は、リビングの壁にコルクボードを設け、家族の目標や子どもの作文などが貼れるメッセージボードにした。

このことによって、食卓とリビングのスペースはかなり狭くはなったが、受験に向けて家族の連帯感が生まれ、コルクボードに貼る目標やメッセージなどを材料に、いつも家族の明るい声が飛び交う空間に生まれ変わったという。

この家庭の子どもも、筑波大附属中など難関中学数校に合格するのだが、どちらの家庭の子どもも、受験の成否以前に、取材者である私に対しての挨拶や話し方など、快活で表現力が豊かだったことが印象に残った。

（子どもの伸びは、家という空間をどうプロデュースするかで決まる）と実感したものである。

16 本棚には家族の好きな本を置こう

これまで本棚といえば、子ども部屋に置くことが常識だった。しかし、先に紹介したモデルハウス「頭のよくなる家」では、リビングはもちろん、玄関やトイレにまで本棚が設置されていた。

これは、私が取材した家庭でもそうだが、普段から目につきやすいところに本棚を配置し、そこに家族それぞれが好きな本を入れることによって、家族の対話を促進しようという狙いがあるからだ。

何も大きな本棚は必要ない。食卓やリビングに置くなら半間程度の本棚。玄関やトイレの中なら、市販されている卓上用のブックスタンドか飾り棚程度のものでいい。

一戸建てであれマンションであれ、子どもたちが生活する時間が長い家に、言わばミニライブラリーを設けることによって、（お父さんはどんな本を読んでいるのかな）（お母さんは……）と、子どもに本や親の趣味嗜好に対する興味が湧く。その結果、コミュニケーションも深まってくる。

さらに、家の何ヵ所かにミニライブラリーがあることによって、家庭全体に知的な空気が醸成されてくる。

このちょっとした心がけが、子どもの心を養い、学力も伸ばしていくのである。

もし、今、あなたの家庭で子ども部屋に大きな本棚があるとしたら、食卓やリビング用にもスリムな本棚を購入して置いてみてはいかがだろうか。

そこには、父親が買ってきた新刊の文庫やビジネス雑誌、そして趣味の釣りや旅行に関する本などを入れてみる。

母親も女性誌やクッキングの本などを入れ、子どもが好きな児童書や学力アップのために取り組んでいるドリルや参考書などを置いておこう。

玄関には、職場や学校など外に持ち出したいお気に入りの本を置き、密閉された空間で集中力が高まるトイレには、小さめの図鑑や年表など、子どもが用を足しながら目にしやすいものを常備しておくといいだろう。

(子どもが勉強するのは子ども部屋。したがって本棚も子ども部屋に置く)という既成概念を捨て、普段の生活の中で子どもがさまざまなことを学べるよう、本棚ひとつから家族の住まい方を見直してみることが大切だと思う。

17 父親の読み聞かせは母親の三倍の効果

我が家でも娘が幼い頃から、毎晩、読み聞かせを続けてきた。

子どもは好きな本に出会うと、何度でも同じ本を読んでくれとせがむものだが、何回も同じストーリーを耳にすることで、いろいろな世界を想像できるようになるので、「読んで」と言ってくる限り、「今度は別の本にしようか？」などと言わず、リクエストに答えることにしている。

頭の中で十分にイマジネーションできたら、子どもにとってはその本を理解したことになる。そうなると別の本に目がいくようになるので、反復学習だと考えて何度でも子どもが飽きるまで同じ本を読んできた。

我が家がここまで読み聞かせにこだわるのには理由がある。

私は、数多く学校関係者を取材する中で、（学力にはふたつの種類がある）と思うようになった。

ひとつは、試験の点数や偏差値で表される「目に見える学力」だ。読み書き計算の力がそれにあたる。

もうひとつは、思考力や表現力、想像力や集中力といった「目に見えない学力」である。

子どもが成長し、まともな社会人になっていくには、このふたつの学力が両方備わっていることが大事だ。

私自身、ラジオ局のプロデューサーをしながら首都圏の大学で教鞭を執《と》っているが、ある程度「見える学力」がないと、「見えない学力」はつかないし、そこそこに「見えない学力」が備わっていないと、「見える学力」をさらに伸ばすことは難しいと実感している。

あまりに偏差値が低い大学の学生は、頭の中で言葉を紡《つむ》ぐことができないので、じっくり考えたり、それを表現することができない。想像力もなければ、九十分の講義を集中して聴くことすらできない。

また、偏差値が高い大学の学生でも、アルバイトや遊びにかまけて「見えない学力」の研鑽《けんさん》を怠ると、大学入学までは優秀でも、就職試験の頃にはすっかり貯金を使い果たし、どこの企業も相手にしてくれない存在になってしまう。

そこで読み聞かせの話に戻るが、私は、この読み聞かせこそが、ふたつの学力のうち、「目に見えない学力」の素地を作る上で、何よりも効果的な方法だと考えている。

聞きながら考えるので思考力が身につく。本の文体から表現方法も学べる。風景や登場人物の顔を思い浮かべ、目に見えない世界を頭の中に描くので想像力が養われ、話に聞き入るという集中力もつく。

この読み聞かせは、父親でも母親でも構わないが、父親が読み聞かせれば、母親が読み聞かせる三倍の効果があると私は思っている。

幼い頃から常にそばにいた母親と違い、父親の声は新鮮だ。子どもの注目度が違ってくる。子どもは、父親が仕事で疲れて帰宅していることを理解しているので、そんな父親が読み聞かせをしてくれたことに、自分への強い愛情を感じる。

また、父親による読み聞かせは、本のバリエーションを広げる。子どもは主人公への同一化が激しいので、船が難破して誰も住んでいない島に流されたり、主人公が撃たれたりするようなストーリーの本は、怖くて耐えられない可能性がある。

そんなとき、子どもの目から見て強い存在の父親がそばで読み聞かせてくれれば、母親に読んでもらうときとは違ったジャンルの本にも耳を傾けるようになる。

恐がらず、すべてのストーリーを聞けば、『ロビンソン・クルーソー』も、『ごんぎつね』も決して恐ろしい本ではないことが理解できるはずだ。

もうひとつ、父親が読み聞かせるメリットは、読み終わったあとの語らいである。読み聞かせは、あまり台詞部分を芝居がからず、淡々と読んだほうが、読み手の声の抑揚に神経を奪われないので頭の中に入りやすい。読んでいる途中で解説しないほうが、集中力が途切れなくていいとされている。

このあたりに注意しながら読み終わったあと、社会の動きなども交えて解説してあげられれば効果は大きい。『グリム童話』や『赤毛のアン』なら、物語の舞台となっているドイツやカナダとはどんな国か。『シートン動物記』や『ファーブル昆虫記』なら、自然や動植物の生態、それに最近の自然破壊や環境問題など。社会人として生きている父親の話が、その巧拙《こうせつ》は問わず、子ども心に刺さるものである。

難関中学に子どもを合格させた家庭の中には、父親の読み聞かせから発展し、頻繁に図書館へ通うようになった父子や、世界の地理や日本の歴史に興味を持った子どもがいる。子どもが字を読める年齢になっても、母親ばかりでなく、父親も読み聞かせをしてあげることが、子どもに(本は楽しい)と思わせ、本を読む習慣を身につけさせ、社会に目を開かせることにつながる。その積み重ねが、やがて、「目に見えない学力」になっていくのである。

18 どこでも算数、どこでも理科・社会

先の項で、父親の読み聞かせが子どもの「目に見えない学力」を育むと述べた。この項では、父親のちょっとした習慣が、「見える学力」をも育むという話をしたいと思う。

まずは「どこでも算数」だ。算数でも四則《しそく》（足し算・引き算・掛け算・割り算）の計算などは、市販されているドリルを使って反復学習させることが有効だ。

しかし、算数は、計算問題だけでなく文章題も解けるようにしなければならない。これも実は、日頃の生活の中で学習が可能なのである。

――ゆみさんは、午後三時五分に家を出て、三時十二分にA駅に着きました。ゆみさんはA駅についてから六分間電車を待ち、来た電車に乗って午後四時五分にB駅に着きました――

Q　ゆみさんがA駅で電車に乗ったのは午後何時何分ですか？

Q　ゆみさんが電車に乗っていた時間は何分間ですか？

　これは、小学四年生あたりの問題集に掲載されている、時刻や時間を答えさせる問題だ。六年生を対象にした中学受験になると、もっとひねった問題が並ぶ。

　こうした問題に対応する学力は、日頃の生活でも身につけることができる。家族で外出する場合、電車や車を利用するはずだが、クイズのようにして子どもと楽しめばいいのだ。

「パパの車は時速八〇キロで長野県の軽井沢に向けて走っています。ここから軽井沢まではだいたい一二〇キロあります。今は午前十一時ですが、このままのスピードで走った場合、何時に軽井沢に着くでしょう？」

「今乗っている電車は、三十分で新宿駅に着きます。そこから乗り換えて七分で目的地の駅に着きます。帰りも同じルートで帰るとしたら、電車には何分乗ったことになるでしょう？」

　といった具合だ。

　計算問題でも、ドリルだけでなく、家の中でカレンダーを見ながら、縦のマスと横のマスで足し算をしたり、壁かけ時計を見ながら、長針と短針の角度を計算したりすれば、ゲーム感覚で算数好きになる基礎を作ることができる。

立命館小学校副校長の陰山英男氏が、公立小の教諭や校長時代に実践してきた百ます計算も、母親がタイムを計り、父親と子どもで勝負すればゲーム性があって面白い。（まだ、うちの子は百ます計算ができるレベルではない）という家庭には、次のふたつがおすすめだ。

◆百ます計算ではなく十ます計算

横に十ます、縦にも十ます数字が並び、四則の計算をするのが百ます計算なら、横には十、縦は一ますというのが十ます計算。これなら取りかかりやすいし、学力定着に必要な反復学習もしやすい。

タイムを計りながら、時間を短縮する喜びを味わわせるのがコツで、最初、十秒以上かかっても「よくできたじゃないか」とほめてあげることで自信をつけさせる。数秒でできるようになれば、縦のますを二つ、三つ……と増やし、二十ます計算、三十ます計算と増やしていく。

◆トランプの活用

ゲーム感覚で四則の計算ができるのがトランプ。東大受験マンガの『ドラゴン桜』でも紹介され話題となった学習法。トランプは1から13まで四種類のカードが揃っている。そこでいったん全部裏返しにして、二枚を表に返し、その数字を足し算、掛け算するとか、1~7のカードと8~13のカードに分け、それぞれ一枚ずつ引いて引き算させるなど、これまたゲーム感覚で計算力が養える。

続いては「どこでも理科」だ。

理科は子どもに実体験があればあるほど興味が湧いてくる科目だ。たとえば昆虫の飼育である。カブトムシやクワガタ、チョウやコオロギなどを実際に飼ってみれば、なぜ体が固い羽で覆われているのか、えさはどのようにして食べるのかなど、さまざまな疑問の答えが見つかる。

我が家もそうだが、特に女の子は男の子に比べ、昆虫への興味が薄い。そこで男親である父親が、季節に応じて何種類もの昆虫を飼ってみて触れさせることが大切になる。

昆虫の小さな体には、外敵や風雪に耐えるさまざまな仕組みがあり、それらをじっくり観察させることが、生命と自然との関係に目を向けるきっかけになる。子どもを昆虫の面倒をみる係にすれば、「死なせてはいけない」と責任感も身につく。

植物も同じで、庭でもベランダでも、子どもに種や球根を植えたプランターの世話をさせてみる。

植物は水を与えなければ枯れるし、与えすぎても枯れる。種類によっては追肥《ついひ》や消毒も必要になるので、何かをきちんと育てれば、植物の仕組みを理解することができる。花にはおしべとめしべがあることから始まり、花粉やつぼみの様子など観察する材料に事欠かないし、季節感や美しいものを愛《め》でる気持ちも養われる。

自宅以外でも、自治体の広報誌などを見れば、「親子で化学実験教室に参加してみよう」「さつまいもを栽培してみよう」などと銘打った参加費無料の催しや廉価《れんか》なイベントがたくさんあるので、父子で参加してみることをおすすめしたい。

理科は、主要四科目の中で、子どもにもっとも感動と驚きを与える教科である。

（水は透明なのに、冷蔵庫で作った氷はなぜ白いの？）

（シャンプーが入った容器をお風呂に落としてしまったのに、どうして浮くの？）

といった生活の中で子どもが抱く「なぜ？」「どうして？」には理科への興味につながるものがたくさんあるので、そういった疑問をぶつけられた場合、あらかじめ本などを用意しておいて、極力すぐに答えてあげる姿勢が必要になる。

ペットボトルなどを使った簡単な実験で済みそうな場合は、父子でやってみるとなおいいだろう。

19 リビングに地球儀と年表を置こう

小学校では三年生から社会科の授業がスタートする。三、四年生では自分の住んでいる地域について学び、五年生では日本の地理を、そして六年生では世界の地理について学習する。

しかし、小学校六年間で子どもたちが学ぶ国は、日本を除けば、アメリカ、中国、オーストラリアなど限られた国でしかない。

中学校の地理でもアメリカとフランス、それにマレーシアの三ヵ国だけというのが、今の教科書の最大の問題点だ。世界ばかりか、日本国内についてもじっくりと四七都道府県の特性に触れる時間が確保されていない。

これでは「国を愛しなさい」「国際理解を深めなさい」などと要求するほうが無理というものだ。

私が教えている大学では、イラクやイランの位置はもとより、アメリカの首都、ワシントンDCの場所すら白地図上で示せない学生がかなりいる。（大学生にもなってこの程度か……）と情けなくなってしまう。

マスメディアの世界では、何かニュースが発生すると、日本国内であれ、世界であれ、ただちに取材にかかるが、世界の国々や主だった都市の位置、平成の大合併で呼称が変わった日本国内の都市の場所などを把握していないと仕事にならない。マスメディアに限らず、世界を相手に仕事をしているビジネスなら、国名を言われて、位置はもちろんのこと、特産品や国民性、通貨や気候、言語や宗教などを理解していない人は通用しないだろう。

そこで私がおすすめしたいのが、父親が主体となって、子どもが小学生の頃から、日本と世界について基礎的な知識を自然のうちに身につけさせておくということだ。

その手っ取り早い方法が、食卓やリビングに地図帳を置くということである。地図からはいろいろなものを読み取ることができる。日本という国は意外と小さな島国であること。北朝鮮がいかに近い位置に存在するかということ。アフリカの砂漠の多さやアメリカの大きさなど、知らず知らずのうちに学べるので効果は大きい。

さらに効果を高めたければ、地球儀をテレビの近くに置いておくことだ。こうすれば、テレビ番組で出た地名をすぐに調べることができるし、（地図ではアメリカとヨーロッパは離れて見えるけど、実際には割と近いんだな）などと、地球儀なら正確に距離感を把握することも可能だ。

「松坂大輔が活躍するアメリカ大リーグ・レッドソックスの本拠地、ボストンはニューヨークの北にある」

「今度、サッカー日本代表が試合をするUAEという国は中東のこのあたり」

「琴欧洲の母国、ブルガリアってヨーロッパのこんなところにある」

ニュースやバラエティ番組を見ながら、こんな対話ができれば、子どもは自然と地理に詳しくなる。

これは日本国内でも同じで、

「パパが生まれた愛媛県はみかんの産地。お隣の香川県は……」

「甲子園でベスト四に勝ち残った高校は、この県の代表校。この県はね……」

父親がこんな話をしながら地図を開けば、子どもは各都道府県の特色や産業などを面白がりながら頭に入れていく。

食卓やリビングに地図帳や地球儀を置くのと同様、トイレの壁にも地図を貼っておきたいところだ。

小学校低学年の子どもなら日本地図。高学年ともなれば世界地図といったように変えていくのもいいし、小学生の間は徹底的に都道府県ごとの産業や特産品を覚えるように仕向けるのもいいかもしれない。

「○○県には△△工業地域があって、特産品は□□で……」

などと言葉で教えるよりも、毎日目にするトイレの壁面に地図があれば、子どもはしだいに地理に詳しくなる。

ゲーム感覚で覚えさせたいなら、オリジナルで都道府県カルタとか世界国名カルタのようなものを父子で作成してみるのもいい。

取り札には県名や国名、読み札には県庁所在地や首都、地域や国の特徴などを書いて、母親にでも読み上げてもらって父子で勝負すればいいのである。

このほか、食卓やリビングに年表を置いておくのも効果的だ。テレビ番組の中には、大河ドラマをはじめ、バラエティ番組でも歴史上の人物が登場するものが多いので、「年表が手近なところにあれば、どの時代の人か調べることができ、重宝する。

20 壁にぶつかった子どもに手を貸さない

「ちょっと宿題をみてあげて」

休みの日など、母親にこのように頼まれる父親は多いと思う。「うん、いいよ」と安請け合いし、子どもが取り組んでいる学校や塾からの宿題を眺めてみるのだが、どの程度までみてあげればいいのかが難しい。

父親主導でやってしまっては、子どもに力がつかない。かといって、「それくらい、自分で考えろ」と突き放してしまうのもよくない。

難関中学に子どもを合格させた親や学校関係者に、よく、「父親はどこまで子どもの勉強をみてあげればいいのか」といった質問をしてきたが、その多くから聞かれた答えが、「解答を導き出すヒントをあげる係になればいい」というものだった。

小学生の中には、机に向かう習慣が身についていなかったり、何からどう手をつけていいのかわからないという子どももいる。

父親も含めて、まず両親が習慣づけをしたり、自宅学習はこういうふうにやればいいのだということを教えてあげる必要がある。

小学校の場合、三年生から理科や社会科が加わる。国語や算数も四年生あたりからぐっと難しくなるので、「小四の壁」などとも呼ばれている。

低学年で優秀だった子どもが一気に振り落とされてしまうのも小四あたりからで、東京都内の有名私立小学校の教員からも、

「小学校入試で一番で入学してきた子どもが、卒業時にもトップクラスでいる確率は低いです。やはり三〜四年生あたりで伸びが止まってしまう場合があるからです」

といった声が聞かれるほどだ。

それだけに、すでに学習する習慣がついている子どもの場合でも、つまずいてしまった問題や悩んでいる問題は、親も加わって考えてあげる姿勢が大切なのだ。

父親が学校や塾で出される宿題をみてあげることは、子どもの実力を把握する絶好の機会にもなる。

母親だけだと、過大評価したり、逆に過小評価するケースもある。父親という第二のフィルターがかかることによって、より正確に（うちの子の学力はどれくらいあるのか）（今ならどの程度まで進んでいなければならないのか）、さらには（うちの子はどの教科が得意なのか）（何の教科のどの分野でつまずきやすいのか）といっ

たことが理解しやすくなる。

小学生でも高学年になると、特に算数の図形など、親でも悩んでしまう問題が出てきて、(うわっ、こりゃ自分も解けないな)と、子どもの前で面目丸つぶれというケースもある。だから教えられる範囲でいいし、問題集などであれば、父親は解答を見ながら、子どもにヒントを出していくというスタンスでいい。

私の場合、最初のうちは、娘と一緒になって考えてみる。「○○ちゃんは、どこまで考えた?」などと、娘の理解度をみながら「ああでもない、こうでもない」と試行錯誤してみる。そして、「こういうふうに考えればいいんじゃないの?」とヒントを与えることにしている。

多くの場合、これで娘は、「あっ、そうか」と理解し、最後には正答を導き出すことに成功している。

しかし、娘ができるはずの問題まで私に頼ってくるときは、「自分でやってみなさい」と突き放すことにしている。

できそうな問題まで教えてしまえば、子どもが受け身になり、(教えてもらえばいいや)と目の前のハードルから逃げ出すことを習慣にしてしまうようになる。

基本的には、子どもの力でできる問題や、ちょっと考えればできそうな問題は独力でやらせてみる。（少し子どもにはレベルが高いな）と思える問題や、思いがけずつまずいてしまった問題だけ、「どれどれ？　どこがわからない？」と助け舟を出してあげてほしい。

「子育ての基本は、独立して生きる力を育てること」

これは、慶応義塾の安西祐一郎塾長が掲げる教育論だが、子どもの勉強をみてあげることひとつをとっても、全部教えたり、逆に突き放してしまうのは論外で、やがて独力で人生を切り開いていける人間に育てるために、ある程度までは子どもに考えさせ、どうしても行き詰ってしまった場合のみ、手を差し伸べるというのがベストなのではないかと思う。

21 子どもに「どう思う?」と聞こう

食卓やリビングで子どもと対話をするとき、あるいは勉強をみてあげているときに、子どもへ「あなたはどう思う?」という問いかけをしてみてほしい。

大学の教壇に立ってしばしば思うことだが、今の学生はメールを打つのは早いが、人前で自分の考えをきちんと話すことが下手だ。「いいと思います」「すごいです」などと短いセンテンスでしか、意見や感想を語れない学生が大勢いる。

これは、大学に入る前から、論理立てて考えるという習慣がついていないからだと思う。

私は以前、留学していたアメリカで、小・中学校のディベート(=討論)の授業を幾度となく見せてもらったことがある。

アメリカは、さすがに自己主張が強い国だけあって、どこの州でも、小学四年生あたりから授業にディベートの時間が組み込まれている。

私が見せてもらった授業では、「うさぎにわなをかけるのは是か非か」に始まり、高学年ともなれば「イラクを攻撃することの賛否」などをテーマに、大人顔負けの論戦が繰り広げられていたが、それを見た私は、（これは一般家庭でも使える！）と感じたものだ。

ディベートと聞けば、過激な言葉を並べ立て、相手を言葉で打ち負かすというイメージがあるが、実際には、相手の意見に耳を傾け、それを頭の中で理解し、自分とはどこが違うのか、自分ならどう考えるのかを整理して、それを相手に伝えるという言葉のキャッチボールである。

「相手の言い分を聞かないまま、持論を述べる自己主張は、単なるわがままでしかありません。これでは、相手を理解したことにも、自分の考えをきっちり述べたことにもなりません」

ある小学校の先生はこう語ってくれたが、まさにそのとおりで、私たちもまた自分の子どもを、相手の話をしっかり聞き、考え、きちんと自分の意見が言える子どもにする必要がある。

家庭で何かについて子どもと意見を交わす習慣が、聞く力、考える力、話す力を養い、そのことが、子どもをまともな社会人へと育む基礎になるのだと思う。

「我が家では、いつも家族で世の中の出来事について話し合っていました。その際、息子に子どもなりの意見を求めることを習慣にしてきました。その結果、最初は稚拙で意見も短いものでしたが、しだいに、親の意見を聞き、それについてじっくり考え、整理して話すという力がついたように思います」（駒場東邦中、栄光学園中合格者の保護者）

「夕食後、家族でフルーツなどを食べながら、娘の学校で起きたことや主人の勤め先で起きた問題について、『パパはどう思う？』『○○ちゃんはどうすればいいと思う？』といった会話をしてきました。その積み重ねのおかげか、相手の話をしっかり聞く力と自分はどう思うかを表現する力が養われたように感じています」（女子学院中、豊島岡女子学園中など合格者の母親）

このように、首都圏屈指の難関中学に子どもが合格した家庭でも、「あなたはどう思う？」という問いかけを習慣として続けてきた家庭は多い。

先に、読み聞かせは思考力や表現力、それに想像力や集中力といった「見えない学力」を養うと述べたが、日頃の親子の対話の中で、子どもに考えさせる機会を数多く設けてあげることも、子どもを伸ばすことにつながるのである。

22 サッカーやピアノの大会に毎回は行かない

「パパ、毎回、応援に来ないで！」

近所の公立小のミニバスケットボールチームに所属している娘の声に、ハッとさせられたことがある。

私の娘は、自宅から一時間以上離れた東京都内の私立小に通っているため、（家の近くにも友だちを作りたい）と本人の意思で入団したのだ。

ただ私も昔、バスケットボールやハンドボールをやっていたので、ミニバスケットボールには熱くなる。ドリブルがうまくできない娘、周りの味方が見えず、相手チームの選手に囲まれて簡単にボールを奪われてしまう娘をつい叱咤してしまうものだから、娘に嫌がられているのだ。

ここ数年、「ゆとり教育」導入後、学校が週休二日制になったせいか、子どもたちの地域でのスポーツ活動が急速に盛り上がっている。

その代表格である少年野球は、イチローや松井秀喜、松坂大輔など日本を代表するプロ野球選手がメジャーリーグで活躍していることもあって人気を取り戻し、J

リーグ発足以降、急速に広がった少年サッカー人気も依然として続いている。

女の子の場合、野球やサッカーというよりも、娘のようにミニバスケットボールであったり、福原愛選手人気で卓球、宮里藍選手や横峯さくら選手に続けと小学生のうちからゴルフを習わせる家庭まである。

そのメリットは、体が鍛えられること以上に、学校とは違う友だちができたり、監督やコーチといった学校の教員や親とは違う指導者と触れ合える点だ。

そこで私も、娘の希望を幸いにミニバスケットボールのチームに入れたのだが、毎回、体育館に練習を見に行ったり、試合を観戦に行くのが娘にとっては負担らしいのだ。

考えてみれば娘の言うとおりだ。少年野球やサッカーを見ていても、応援と称して毎回、子どもに付き添ってくる親がいる。

母親たちは、グラウンドの隅でおしゃべりに興じ、練習や試合会場を社交場にしてしまいがちだが、父親も、特に野球やサッカーの経験者だった場合、練習方法に口を出したり、試合ともなれば、「なぜ、うちの子を使わないんだ?」などと監督やコーチに不満を述べたりする。

これでは、せっかく子どもが、自分の力でうまくなろうとし、自分の力で新しい友だちと人間関係を築こうとしているのを台無しにしてしまう恐れがある。

私の場合、そこまで熱くなってはいないと思うが、それでも、女子レスリングで娘の京子さんに熱くなるアニマル浜口さんばりに、

「そこだ！　行け！　あー、なんでパスしないんだ！　ほら、ボールを奪いに行け」

などと大声で檄《げき》を飛ばしたことが、自分の力で少しずつでもうまくなろうとしていた娘にはマイナスに作用したようだ。

子どもは、学校の教員や親の目から解放され、のびのびとプレーを楽しんでいる。そしてその中から、バッティングやシュートなどの技術のほか、チームの一員としての自覚や責任感、協調性などを体得していく。

前述した松坂大輔投手の父親、諭さんも、イチロー選手の父親、宣之さんも、それぞれの息子を少年野球チームに入れたが、どちらも「大輔がやりたいと言ったことをやる」「一朗がしたいと思っていることをする」という方針を貫いてきた共通点がある。

宣之さんなどは、マスメディアとのインタビューで、

「私は一朗が、父親から教えを受けているというプレッシャーを受けていないか、

重荷に感じていないかを心配していました。私が恐れていたのは、父親である私が原因で野球嫌いになりはしないか、ということでした」

とまで語っているが、それくらい、息子には好きなことを好きなようにやらせたいと自主性を重んじていたのである。

こういう点から見ても、子どもの背中を押してあげたり、後方支援してあげることは必要だが、父親が前面に出すぎないほうが効果的であることがわかる。

これは、スポーツだけでなくピアノなども同じだ。毎回、ピアノ教室に付き添い、発表会などもビデオ片手に必ず行くというのではなく、親の知らない世界で成長している子どもを下がった位置から応援するときがあっていい。

ただ、監督に叱られショックを受けて帰ってきたら、「次の試合で取り返せばいいじゃないか」と笑顔で声をかけてあげよう。ピアノの発表会でうまく弾けず、半ベソ状態で帰宅したら、温かく抱きしめてあげよう。

「今日、二点もシュート決めたんだよ。どうして見に来てくれなかったの？」

「発表会、上手にできたんだから。パパに見せたかったな」

などと言われたときは、「そうか、よくやったな。お祝いしなきゃな」と返してあげればいいのだ。

23 社会のルールや厳しさを教えよう

子どもたちの通信簿からいつしか五段階評価が消え、「たいへんよい」「もうすこし」といった絶対評価に変わって物議を醸したことがある。

運動会の徒競走でも、走った子どもたち全員で手をつないでゴールインさせたり、足の速さごとに走る組を分け、足の遅い子でも恥をかかないように配慮するといった小学校が増えたことも一部で問題となった。

私はこうした学校教育は一種のまやかしにすぎないと考えている。成績が悪くても「もうすこしどりょくしましょう」。走るのが遅くてもみんなで同時にゴールイン。

これでは、自分の位置がわからず、甘い評定で気をよくした子どもたちは、中学や高校になって初めて、自分が取り返しのつかない位置にいることに気づく。

もっといえば、社会に出て初めて、学歴やスキルなどによって選別されてしまう世の中の厳しさを味わうことになる。

大学受験や就職試験、そして社会に出てからも実にシビアに優劣をつけられる現実が待っているにもかかわらず、やたらと平等を尊ぶ学校教育に、私は大いなる矛盾を感じてしまう。

そういう時代だからこそ、私は社会に出て働いている父親が、子どもに、できた喜びとできなかった悔しさ、勝てた嬉しさと負けたほろ苦さを教えることが必要だと考えている。

先に述べた、壁にぶつかった子どもに手を貸さないことも、できた喜びとできなかった悔しさを教える家庭教育のひとつだ。

「見せてみなさい。この問題はこう解けばいいんだよ」

「あ〜、も〜、貸しなさい。お父さんがやってあげるから」

宿題のプリントでも夏休みの工作課題などでも、父親がこんな風に、行き詰まっている子どもを見てすぐさま助け舟を出してしまえば、子どもは常に、(きっとお父さんが助けてくれる)と思うようになり、依存心だけが強くなる。

少しでも困難なことに直面するとすぐに投げ出してしまうような我慢ができない子どもになってしまう。

思うように問題が解けなくても、上手に工作ができなくても、子ども自身が一生懸命やって結果が出れば、「できた!」という喜びを感じるものだ。

それをそばで見ていた父親がほめてやれば、子どもはもっと喜んで、少し難しいと思えるものにもチャレンジするようになる。

仮に結果が出なくても、子どもはできなかった悔しさを学ぶ。そこで父親が初めてヒントを示したり、「次はできるよ」と励ましてやれば、子どもも前向きな姿勢に変わるものである。

これは、野球やサッカー、ミニバスケットボールなどスポーツでも、進学塾の中でも同じである。チームの中でのレギュラー争い。何戦しても勝てない強豪チームの存在。模試の成績でいつも上をいくライバル。そういった中で、勝利や敗北を学ぶからこそ、子どもも成長するのである。

レギュラーがとれない、強豪に完敗した、ライバルに差をつけられた……。こうした場合、父親は「お前もよく頑張ったじゃないか」だけで済ませてはいけない。なぜ補欠になったのか、どうして負けたのか、何が原因で差を開けられたのかを子どもと話し合ったり、親の目で説明してあげてほしい。

○どうしてもあの子には勝てない↓あの子は確かにすごい。しかし○○ちゃんはあの子より足が速い。そこを生かそう。

○あの子は何でもできる↓最初から何でもできるという人間はいない。○○ちゃんだって努力や工夫でいつかはできるようになる。
○どうしてもうまくいかない↓世の中は常に○○ちゃんの思い通りになるとは限らない。○○ちゃんから合わせていくことも、ときには必要なんだ。
○あんなに頑張ったのに成績が上がらなかった↓理科はよくなってきたじゃないか。算数は少し努力不足だったかな。こういうふうにすればいいんじゃないか。

そして、その後、レギュラーになったり、強豪に善戦したり、ライバルに勝った場合は、大げさなほどにほめて、達成した喜びを存分に味わわせてあげてほしい。母親は本能的に、子どもを守り、抱きしめ、なぐさめようとする。いわば子どもを包み込むのが役割だ。

しかし、それだけでは子どもを甘やかしてしまう恐れがあるので、父親が社会の厳しさやルールといった、社会性を教える役割を積極的に担ってほしいと思う。

24 子どもが熱中できるものを伸ばそう

「父親の大事な役割は、子どもにどんなことでもいいですから熱中体験をさせてあげることです。子どもが時間を忘れて夢中で取り組んでいることをサポートしてあげてほしいですね」

こう語るのは、関西圏屈指の進学校、奈良・西大和学園中の今村浩章校長である。

近頃では京大合格者数ばかりでなく、東大合格者も急増している西大和学園。寮が完備していることもあって、大阪や京都のみならず首都圏からも優秀な子どもたちが集まっているが、今村校長によれば、入学してから伸びる子どもは、小学校時代、何かに熱中した体験がある子どもたちだという。

「これからの時代は、『学ぶ力』や『学ぼうとする意欲』がいくつになっても問われてくると思うんです。子どもにとっては、いきなり『目的意識を持て！』などと言われても難しい面はありますが、得意なこと、好きなことにとことん熱中させる体験が、目標を見つけたり、夢を抱くことにつながりますので、父親としてはまず子どもに熱中体験をさせてほしいです。勉強の邪魔になるからといって、大好きなサッカーを取り上げるとか、エレクトーンをやめさせるとか、そういうことはやめてほしいです。むしろ支援してあげてほしいと思います」

確かに好奇心や向上心が旺盛な子どもが学力を伸ばしていく。

このことは、二〇〇六年五月に横浜市教育委員会が小学二年生から六年生までを対象に実施した調査でも明らかになっている。

◆横浜市教育委員会の学習状況調査（市内の公立小学生一五万七〇〇〇人が対象）

○これまでに何かを一生懸命したことがありますか？（数字は主要四科目のテストの正答率）

・たくさんある　小五（六六・九％）、小六（六六・三％）
・少しあった　小五（六三・七％）、小六（六一・六％）
・ほとんどなかった　小五（五六・四％）、小六（五八・七％）
・まったくなかった　小五（四二・一％）、小六（五一・四％）

数字からも明らかなように、何かに熱中した体験がある子どもと、そうでない子どもでは、テスト結果が全然違うことがわかる。

難関中学に合格した子どもたちも、実際に取材をしてみると、塾通いだけに専念していたという子どもは少数派だ。

受験対策が追い込みに入る小学六年生になるまでは、サッカーやピアノに熱中していたり、鉄道や日本の歴史、昆虫や天体など、何かひとつかふたつ、のめりこむものを持っている子どもたちだった。

今をときめくメジャーリーガーたちも、少年期には野球以外に没頭できる趣味を持っていた。イチローは将棋、松坂大輔や井口資仁はパズルだが、彼らの父親はそれをやめさせることはなかったという。

この「熱中する」「のめりこむ」という姿勢が探究心をかきたて、集中力も育み、難関中学に合格する学力、世界に通用するアスリートになる力を育むのである。

母親もそうだが、父親も加わって、「子どもが好きなことは何か」「何に興味を持っているか」を見いだし、もっと熱中するように支援してあげてほしい。

第3章

頭のいい子が育つ生活習慣

25 夕食の品数を増やしてもらおう

「えっ？　おかず、これだけ？　もうちょっと品数を増やしてくれよ」

どこの家庭でも、仕事から帰宅した父親からしてみれば、思わずこんなふうに言いたくなるときがあるのではないだろうか。

子どもを伸ばす観点からいえば、この考えは正しい。

首都圏や関西圏など私立、国立の中学受験熱が高い地域では、子どもが小学校から帰宅するやいなや、母親が大手進学塾に送り届ける姿が目につく。

塾の近くに駐車すると、ファストフード店に入り、ハンバーガーやフライドポテトを食べさせたり、コンビニエンスストアでおにぎりかパンを買って腹ごしらえをさせている。そうして授業開始に間に合うように子どもの背中を押す母親がいるが、このような生活を長く続けていると、子どもの学力アップは望めない。

ここで気になるデータをご紹介しよう。

一九八九年に、東京都中野区立第六中学校で教頭を務めていた廣瀬正義氏が実施した調査結果である。少し古いデータで、しかも調査対象は中学生ではあるが、現代の小学生にも十分あてはまるデータだと思う。

◆一食あたりの摂取食品数と学力テスト偏差値の相関図／対象は中学三年生の主要五科目（『学力をつける食事』廣瀬正義著　文春文庫による）

○摂取食品数三・九以下……偏差値　四八・九
○　四～五・九……偏差値　五一・四
○　六～七・九……偏差値　五三・九
○　八～九・九……偏差値　五五・四
○　一〇～一一・九……偏差値　五六・七
○　一二以上……偏差値　六一・二

この数値を見れば明らかなように、一食あたり多くの種類の食品を摂取している生徒のほうが成績は上がるということになる。

一食あたり一二品目以上摂取している子どもの偏差値は六〇を超え、四品目未満の子どもは五〇を切ってしまっている。

見方を変えれば、いい加減な食生活を送っている子どもは学力が低下し、多くの食材をバランスよくとっている子どもは、成績がアップするということである。

これは、贅沢におかずを用意しろという意味ではない。おかずの皿数は少なくとも、肉や魚、卵、海藻、様々な野菜、果物……など、食材の品目を増やすことが、子どもに活力を与え、子どもの学力を伸ばすことに結びつくのである。

中学受験の難易度で全国トップをいく筑波大附属駒場中では、入学時に生徒と保護者に食事に関する資料を配布し、「三度の食事を大切に」と訴えている。

入学時から高校卒業時まで、体育科が中心となって熱心に「食育」について指導しているくらいだ。

この「食育」指導があればこそ、筑波大附属駒場中学・高校が、私立の開成や灘と並んで、常に東大合格者数でトップレベルを維持できているのだと私は思う。

だから是非、家庭でも食事の品数を増やす努力をしていただきたい。父親も、明日の仕事への活力をつける意味だけでなく、子どもの学力アップのために、妻に「もう一品か二品つけてやってくれ」と頼んでみてはどうだろう。

26 率先して「コ食」を避けよう

ラジオ番組でご一緒した服部栄養専門学校の校長、服部幸應さん。テレビや雑誌でもおなじみの服部氏が近年取り組んでいるテーマが、先の項目でも述べた「食育」である。それも一般家庭の親子を対象にしたものだ。

特に服部氏が子どもの食生活で問題にしているのは、次の五つの「コ食」だ。

◆服部幸應さんが指摘する五つの「コ食」と問題点

○孤食…家族の食事の時間がバラバラで、子ども一人で夕食をとる（＝親子の対話が乏しくなる）

○個食…親が食べるものと、子どもが食べるものが違う（＝子どもがわがままになる）

○固食…好きなもの、同じものばかり食べる（＝栄養が偏る）

○小食…ダイエットなどを気にして、少ししか食べない（＝エネルギー不足にな

る）

○粉食…ごはんを食べず、パンや麺類が中心（＝加工食品に頼りすぎる）

学校教育の現場で教えるのは知育、徳育、体育が中心だ。給食の時間に「好き嫌いはやめましょう」といった指導はあるものの、以前のように、嫌いなものを食べ残したからといって、全部食べるまでその子の食器を片づけないというような光景はなくなった。

また季節の食材を解説したり、いろいろな話をしながらごはんをいただくというような時間的余裕は学校にはない。ましてや塾にもそんな機会はない。

だとすれば、家庭で「食育」をしっかりするしかない。

親子で食材を買いに行き、野菜や旬の魚などについていろいろ話をする。買い物中には学校での出来事などの話をし、たまには買って帰った食材を使って、母子で夕飯作りをしてみる。

出来上がったものは、帰宅した父親を囲んで一緒に食べる……そんな光景を家庭に取り戻すことが、ともすれば勉強に追い立てられがちな子どもの心を潤すことになる。

第1章でも触れたが、今、一週間の中で、家族揃って夕食をとる回数が減少傾向にある。

内閣府が二〇〇六年十一月の閣議で初めて決定した「食育白書」によると、一九七六年には三六・五%の家庭が「家族で毎日夕食をとる」と答えていたのが、二〇〇四年には二五・九%にまで激減したそうだ。

核家族化が進んだことなどによる生活様式の変化はあるが、規則正しくバランスのとれた食事や、家族で食卓を囲む楽しい食事といった「健全な食生活」が失われつつあることは確かだ。

これに歯止めをかけ、子どもとの楽しい食卓を取り戻すのが父親の役目である。

そのためにできるだけ早く帰宅し、子どもがひとりで食卓に向かう状態を少なくするのは言うまでもないが、晩酌にいそしむあまり、毎晩、子どもと食べるメニューが違ったり、子どもの好き嫌いをいくらかでも減らす立場にある父親が偏食だったりと、子どもにとって悪い手本になるような食生活は避けたほうが賢明だ。

27 朝型生活に変えよう

「早く起きれば一日が長くなります。昼間の時間が増えるので、できることが無限になります。夜型生活は楽しいけれど、やれることはメシを食うか、酒を飲むか、遊ぶくらいしかないですよね」

これは、朝型生活を励行している直木賞作家、浅田次郎氏の言葉である。

仕事が終わって飲みに行く。あるいは取引先を接待する。飲み会に費やす時間と帰りの通勤時間を合わせると、家にたどり着くのは早くて九時か十時。帰宅後もニュース番組を見たり、ドラマやバラエティ番組などに興じていると、寝る時間は零時を回ってしまう。

「時間がなくて、家族団らんの時間がとれない」

「時間がなくて、平日に子どもと向き合うひまがない」

私の周りでも時間がないことを嘆く人がたくさんいるが、よくよく話を聞いてみると、こういう人は受験生時代から極端な夜型生活に入り、大学時代も社会人になってからも、そのままの生活が習慣となっているケースが多い。

しかし、この生活スタイルを改めない限り、自分自身を磨く時間もなければ、子どもが学校や塾でどんな友だちと過ごしているのか、勉強の進捗《しんちょく》状況はどの程度かを把握することもなく、あっという間に一年が過ぎることになる。

こういう父親の多くは、子どもが深夜まで起きていることに対してあまり抵抗がない。母親より恐い存在の父親が、子どもが深夜まで起きていることに理解を示してしまうと、子どもは安心して夜更しするようになる。

また、日頃、遅くまで起きている父親の姿を目の当《ま》たりにしているので、（自分だって……）と夜型生活をまねてしまう子どもが多い。仮に「早く寝なさい」と注意しても、注意する父親が夜更ししていては説得力がなくなる。

これでは、父親だけでなく、子どもをはじめ家族全体が慢性的に夜型生活に陥ってしまう。この状態では子どもは伸びない。次のデータを見てほしい。

◈小学五年生の睡眠時間と学力テストの結果相関図（広島県教育委員会調べ）

・睡眠時間四時間　国語の平均点　五二点、算数の平均点　五三点
　五時間　国語の平均点　六二点、算数の平均点　六四点

六時間　国語の平均点　六六点、算数の平均点　七〇点
七時間　国語の平均点　七〇点、算数の平均点　七四点
八時間　国語の平均点　七一点、算数の平均点　七四点
九時間　国語の平均点　七〇点、算数の平均点　七四点
九時間以上　国語の平均点　六五点、算数の平均点　六八点

これを見れば明らかなように、夜更しで睡眠時間が足りない子どもの成績は芳《かんば》しくない。七〜九時間睡眠を確保することが、最も学習には適していることがわかる。

首都圏の難関中学に子どもが合格した一〇〇家族への独自アンケートでも興味深い結果が出た（著者実施）。

◆子どもの学校以外での生活について（開成、桜蔭など難関中学合格者の保護者）

○小学六年生の時点で子どもの睡眠時間は平均何時間？　六・二時間
○朝の時間をうまく利用することを心がけたか？　心がけた　九二%　特にしな

かった　八％

○朝、登校前に何をさせたか？　宿題、音読、塾のプリント、英会話、苦手科目の克服など

中学受験では追い込みの時期にあたる六年生ですら、六時間以上の睡眠は確保している。少しでも早く寝かせて、勉強するなら朝の時間にやらせるという家庭の方針が垣間見えてくる数字だ。

やはり、生活のスタイルを夜型から朝型に変えたほうが子どもの学力アップにはいいということになるが、そのためには家族全体が夜更しの生活パターンを変えることである。特に父親が朝型生活に変えてみることをすすめたい。

私も番組プロデューサーと大学講師、さらには執筆活動も抱え、三足のわらじで多忙な日々だが、夜はできるだけ早く寝て、朝、家でひと仕事をする。

早寝早起きが習慣化すると、浅田氏が言うように一日が長く使えるので、子どもと向き合う時間もできる。

また、父親が早寝すれば、妻や子どもも続くようになるので、家族全体が朝型生活に変わってくる。

28 朝食をしっかりとろう

父親であるあなたは、毎朝きちんと朝食をとっているだろうか。

父親自らがしっかり朝ごはんを食べる姿勢を見せることが、子どもを伸ばすという話をしたいと思う。

ここ数年、子どもの体力低下が指摘されている。

文部科学省の「二〇〇五年度体力・運動能力調査」の結果を見てほしい。二十年前と比べて走力がダウンしているのである。

○小学六年生の五〇メートル走の記録

・男子八・九五秒（一九八五年時は八・七五秒）

・女子九・二秒（一九八五年時は九・〇秒）

記録的には男児女児ともに、〇・二秒遅くなっている計算になるが、まっすぐ走れない子どもや顔から転ぶ子どもが増えるなど、記録以上に現状は深刻だといわれる。ソフトボール投げなども、今の子どもたちは投てき距離が目に見えて落ちている。

これらの現象は、睡眠不足だけが原因ではない。朝食をとらないで登校する子どもが増えたことも原因だ。

政府の「食育白書」では、小学五年生で約一〇％、中学二年生で約一五％が、「朝食をほとんどとらない」、もしくは、「とらないことがある」と答えたことがわかった。

白書では、朝食をとらない子どもは疲れやいらいらを感じることが多く、逆にきちんと朝食を食べている子どもほど、ペーパーテストの得点が高い（＝学力も高い）と指摘しているが、このことは、第2章で紹介した横浜市教育委員会の調査でも明らかになった。

◆横浜市教育委員会の学習状況調査（朝食と主要四科目の平均正答率の相関関係）

○学校へ行く前に朝食をとりますか？

・朝食を必ずとると答えた子どもの正答率

・朝食をたいていとると答えた子どもの正答率　小五（六六・六％）、小六（六五・五％）

小五（五八・一％）、小六（五八・〇％）

・朝食をほとんどとらないと答えた子どもの正答率

小五（五〇・〇％）、小六（五一・九％）

ごらんのとおり、明らかに朝食をとって登校した子どもの正答率が高いのである。

東大合格者数が全国でもトップレベルをいく筑波大附属駒場中・高には、北海道教育大学の小澤治夫教授が提唱した「風車の理論」というものが浸透している。

これは、

「朝ごはんを食べる→体温や血糖値が上がる→自律神経の働きがよくなる→勉強や運動に集中できる→早く眠れる」

というものだ。これが逆のパターンだとどうなるだろうか。

「朝ごはんを抜く→低体温でボーッとする→自律神経がうまく機能しない→勉強や運動に集中できない→成績が悪くなり塾で補おうとするので帰宅時間や夕食が遅く

なり、就寝時間がずれて睡眠不足になる」

という悪循環になる。

先にご紹介した立命館小学校副校長の陰山英男氏も、親に朝食をしっかりとらせてほしいと求める。

「最低でも登校の一時間前には起きて、しっかり朝ごはんを食べ、排便も済ませて……というのが理想です。極端に言えば、学力を伸ばす秘訣は、『早寝早起き朝ごはん』ですね」

ここでも、父親が朝早く起きてしっかり朝ごはんを食べる習慣をつけることが大事になってくる。父親が食卓に座れば子どもも座る。もりもり食べれば、やはり子どもも、もりもり食べようとするものだ。

子どもを伸ばしたいと思えば、「早寝早起き朝ごはん」が基本だが、そうさせるには、まず父親が「早く寝て早めに起き、朝はもりもりごはんを食べる」という習慣を定着させてほしいと思う。

29 子どもと一緒にメタボリック対策

日本で予備軍を含めて急増しているとされるメタボリックシンドローム。内臓脂肪の蓄積により、将来的には動脈硬化性疾患（脳梗塞や心筋梗塞）のリスクが高まるため、ウエストが八五センチ以上ある父親や九〇センチ以上ある母親は、（何とかしなくちゃ）と思っていることだろう。

私は、この（何とかしなくちゃ）を子育てに生かしてほしいと考えている。

メタボリック防止策で有効なのは、言うまでもなく食生活の改善と適度な運動である。

このうち、食生活については、これまで述べてきたように、子どもとともに規則正しくバランスよい食事をとることでかなり改善されるが、運動もまた、子どもと一緒にすることで一石二鳥の効果が生まれてくるのだ。

難関中学に子どもを合格させた父親たちはこう語っている。

「私は会社で、子どもたちも塾などでストレスを抱えていますから、それを解消する意味で夜のジョギングを始めました。私にとっては肥満防止、子どもたちにとっ

ては体力増進につながり、何より私と子どもたちの連帯感が生まれたような気がします」（開成中合格者の保護者）

「休日にはよく子どもと近くの公園でキャッチボールをしていました。受験が近くなると休みの日でも塾一辺倒になりがちですが、私も子どももいい気分転換になったように思います」（巣鴨中、西武学園文理中など合格者の保護者）

子どもの学力を伸ばし、難関中学に合格させた家庭の父親の中には、平日の夜や休日に、父子でジョギングやウォーキング、それにキャッチボールなど適度な運動を習慣にしていたケースが多い。

適度な運動を習慣にすれば、父親自身、メタボリックシンドロームに陥ることを防ぐことができるし、最近では全体の八〜一〇％程度いるとされる子どもの肥満も回避できる。

特にジョギングやウォーキングで子どもの心肺機能を鍛えれば、勉強漬けの子どもよりも、ここぞというときの瞬発力や粘り強さが違ってくる。

また、運動を通じて父子の対話が増え、絆が強固になるという副産物も期待できるので、是非、メタボリック対策や日頃の運動不足解消は、子どもと一緒にやってほしい。

父親が運動不足で、加齢とともに体力が落ちてくると、子育てがうっとうしくなってくるものだ。子どもから何かをしようとせがまれても、

(もうそれくらいのこと、自分ひとりでやるか、お母さんとやってくれよ)

(お父さんは日頃の仕事で疲れているんだよ。それくらいわかってるだろ?)

といった気持ちにかられるようになる。

また、ひどいケースになると、子どもの存在をストレスに感じてしまうケースだってある。

このように、子どもの存在をうっとうしく感じたり、面倒くさいと思ってしまうのは、父親に体力がなく常に疲れているからだ。

疲れを理由に、父親が子どもと遊ぶ機会を減らすと、子どもはしだいに元気がなくなり、睡眠不足や朝食抜きの生活習慣と合わせて徐々に体力が落ちてくるから要注意だ。

私は、学力とは突き詰めていけば、元気にたくましく生きていく力だと考えている。

元気な子どもでなければ、仮に今、学業成績が優秀でも、将来控えている大学受験や社会人としての長い人生の中で落伍《らくご》してしまうかもしれない。

「目に見える学力」も「目に見えない学力」も、体力があってはじめて身につくものだと思う。

子どもの学力を伸ばしたいと思えば、まず父親が運動をすることだ。

(子どもは学校で十分に飛んだり跳ねたりしてきているだろう)と考える父親も多いだろうが、教員の平均年齢が四十四〜四十五歳に達している小学校では、教員自身も子どものパワーを体で受け止める体力が減少気味なので、多くは期待できない。

だからこそ余計に、家庭で父親が子どもと一緒に体力維持に努める習慣をつけることが望ましいのである。

30 アウトドア志向でいこう

どの家庭でも、総じて父親が子どもと接する時間は母親より少ない。子どもの睡眠時間を確保するために、小学校低学年では夜八～九時、高学年でも十時には寝かせるとすると、平日に父親が子どもと対話する時間はかなり限られてくる。

そんな父親が子どもと触れ合うのに絶好の機会となるのがアウトドアである。アウトドアとは文字通り、屋外でさまざまなことを体験する場だ。バーベキューなどの「食」と、テントで宿泊するという「住」、さらには、ハイキングやトレッキング、フィッシングやカヌーなどの「遊」といった要素があるが、子どもはこれらを通じて、火を熾《おこ》したりテントを設営する苦労、自然と触れ合う楽しさと厳しさなどを肌身で感じるはずだ。

風が強かったり薪が少なくなれば、どうやって熾した火を維持するか。水が少なければ、どのように節約して使うか。そして暖のとり方や山歩きの際の体力配分にいたるまで、子どもなりに考える力がつく。

子どもの目には、せっせと火を熾し、バーベキューにいそしむ父親、子どもを先頭に立て、後ろからトレッキングをサポートする父親の姿は、いつも以上に頼もしく映るはずだし、満天の星空を眺め、焚き火を囲めば、家庭の食卓以上に、父子の対話も弾むことだろう。

全国の難関中学には、どの学校でも実施している夏季の林間学校などのほかに、東京・巣鴨中の大菩薩峠越え強歩大会や駒場東邦中の信州霧が峰高原でのフィールドワーク、そして、大阪の大阪星光学院中の黒姫登山合宿などに代表されるように、アウトドア体験を年間行事に盛り込んでいる学校が多い。

こうした学校では、子どものアウトドア体験が、広い視野と考える力、それに体力を養う絶好の場だと考えているのだ。

この考え方を家庭にも応用してみたいところだ。

実は私はインドア派で、飯《はん》ごう炊爨《すいさん》もテント設営も大の苦手としている。家で料理をしないのに外でできるわけがないと考えていたくちである。

しかし、逆にアウトドアが苦手な父親がたまに頑張ると、子どもは大喜びするから面白いものだ。下手なりに努力する父親の姿が新鮮に映るらしい。

何の設備もない河畔などではなく、何もかもが用意されたキャンプ場で、材料だけ持ち込んでバーベキューをしたり、本格的な渓流釣りではなく、釣堀のような誰でも釣れるような場所で岩魚《いわな》や鮎、ニジマス釣りをするだけでも、子どもにとっては貴重な非日常体験になる。

だから、（アウトドアはどうも好きじゃない）という父親も、簡単なことから始めてみてはいかがだろう。

手っとり早いところでは、自宅の庭やマンションのベランダで食事をしてみる。少し足を延ばして、お花見のように、それぞれの地域で代表的な公園でお弁当を広げてみる。

そこで、「今度はもうちょっと遠出してみようか」「本格的にアウトドア体験をしてみるか」という話になれば、次はバンガローなどの宿泊施設が完備されたところで、バーベキューやハイキングなどを楽しんでみればいいのだ。

31 約束は小さなことでも守ろう

私は娘に、「やると決めたことを簡単に途中で投げ出してはいけない」と教えてきた。

娘が受けてみたいと言い始めた私立小学校受験にはじまり、「運動会でリレーの選手になるために練習する」と言ったことや「ミニバスケットボールのチームに入りたい」と言い出したことなど、幼いながらも自分でやりたいとせがんだことは、安易に途中でやめないように、その点だけは厳しく接してきた。

それは、娘の自発的な気持ちを大事にしたかったことと、娘には、

(無理そうだからやめたい)

(遊んだりボーッとしていたいからやめたい)

(努力することや練習することがしんどいからやめたい)

こういった怠け心をコントロールできる我慢強い人間に育ってもらいたいと考えたからだ。

世の中では、気に食わないことがあればすぐキレてしまう少年少女や、せっかく

就いた仕事を三年も経たないうちにやめてしまう若者たちの増加が問題視されているが、小学生時代から少しでも我慢する習慣や簡単に投げ出さない習慣がついていれば、いきなり暴発したり、簡単に逃げ出すような人間にはならないはずだ。だから、「やると決めたことを簡単に途中で投げ出さない」を、私と娘との約束事にしてきたのである。

しかし、ここに落とし穴があるのだ。

娘と約束してしまった以上、父親である私も、自分から進んで始めたことを途中で投げ出すことができなくなってしまったのである。

私が務めている番組プロデューサーという仕事は、途中で投げ出したくなるようなことが連続して起きる職種だ。

出演者がドタキャン。予算が思ったようにもらえない。スタッフのど忘れで台本が期日に間に合いそうにない。（もうやめちまおうぜ）と言いたくなることばかりが、これでもかと襲ってくる仕事なのだ。

それでも夜、食卓を囲みながら、娘に「パパが作っている番組、順調？」などと聞かれると、「あれね、もうやめた」とも言えず、範を示す意味でも粘り強くやっていくしかない。

この執筆作業にしてもそうだ。一冊の本にするためには、二〇〇～二五〇ページ（＝字数にして一五万字程度）も書かなくてはならないが、書いていく途中で何度もピンチを迎えるものだ。アイデアが浮かばず一行も書けない日など、「もう、やーめた！」と言えるならどんなに楽だろうと思うが、自分で書こうと思い立ち、パソコンで打ち始めたのを娘が見ている以上、逃げ出すことはできない。

父親が粘り強く努力している姿を見せることが、娘にとってもプラスになるし、約束を自ら果たすことになるのだと思い直し、パソコンに向かう毎日なのである。

子どもとの約束はそれほど大事なものだ。「毎週、公園でキャッチボールしようね」と約束したら、雨の日を除いて必ず相手をしてあげることが重要だ。

仕事があるからとか、疲れているなどの理由で反故《ほご》にしてしまうと、子どもは、（お父さんの約束はこの程度なんだ）と思うようになる。そうなると子どもも、父親との約束を簡単に破ってしまうようになる。

家庭によってさまざまな決まりや約束事があると思うが、父親のスタンスは一貫性が大事で、考えがぶれたり、安易に約束やルールを変更したりすることは、子どもとの信頼関係を損なう可能性が大きい。それこそ、父親たるもの、子どもと交わした約束を簡単に投げ出してはいけないのだ。

32 お金の使い方を教えるには父親が我慢すること

子どもを伸ばすには、自分でできる力を育てる必要がある。

「我慢する」「約束を守る」は、子どもの自己管理能力を養う上で大切な要素だし、「早寝早起き朝ごはん」も生活管理能力を身につけさせるために不可欠なことだ。

実はこれにもうひとつ加えたい要素がある。それはお金を管理する能力である。

ライブドア事件や村上ファンド事件に代表される、行き過ぎた錬金術が大きな社会問題となったことは記憶に新しい。

難関私立中・高から東大合格と、いずれも優秀な頭脳を持った若き起業家が起こしたこれらの事件は、「いくら頭脳がよくても、お金に関する考え方が常識とあまりにかけ離れているとろくな人間にはならない」と、子育て論にも一石を投じる社会問題となった。

一部の勝ち組と多くの負け組に大別されてしまう格差社会の昨今、お金に関する考え方や使い方は家庭ごとに違うと思うが、どんな家庭であれ、子どもに「お金は、お父さんやお母さんが額に汗して得た貴重なもの」「かといってお金は万能ではなく、お金がなくても身の丈に合った楽しい生活を送ることは可能」ということだけは、教えておきたいものだ。

それらをそれとなく教えるのが父親の仕事である。

日頃から苦労話なども含めて仕事の話を聞かせると、子どもなりに（お金を稼ぐというのは大変なことなんだな）と感じるようになる。

また、月初めにでも一ヵ月の小遣いを渡せば、子どもが何かをねだったからといって、ホイホイ買い与えないことも大切だ。これは金銭的に余裕がある家庭でも同じだ。

特に次々と新型が出るゲームソフトや携帯電話、大人顔負けのブランド品などは、子どもの金銭感覚を麻痺させるばかりか、高価なプレゼントを買ってもらったという感動まで希薄にさせるので、たとえ誕生日とか成績がアップしたことへのご褒美でも安易に買い与えるのは自重してほしい。

こういったものを買い与えていると、（お金は貴重なもの）という感覚が薄れ、（お金で何でも買える）（お父さんにねだれば簡単に手に入る）（月初めにもらったお金がなくなれば、またいつでももらえる）といった錯覚にとらわれやすくなる。

現代は、情報がほしいと思えばインターネットでいとも簡単に手に入れられる時代だ。ボタンひとつで洗濯から乾燥まででき、地図で調べなくてもカーナビが目的地まで案内してくれる苦労いらずの時代である。

そんな時代に生きる子どもたちに、これ以上、お金さえあれば努力や苦労をしなくてもほしいものが手に入ることを教えてはいけない。

「お友だちが持っていたとしても、そんな高価なものは小学生が持つべきじゃない。中学生になってからにしなさい」

「我慢しなさい。買ってあげないと言っているんじゃないよ。三ヵ月後のクリスマスには買ってあげるから、そのときになってもほしいなら言いなさい」

「どうしてもほしいのか？　でも今日はダメだぞ。毎朝、ちゃんと起きられるようになったらな」

といったように、待つこと、我慢すること、ほしいものを得るために努力することを教えてほしい。

もうひとつ父親が気をつけたいのが、自分が率先して我慢することである。子どもには「待て」「我慢しろ」と言っておきながら、父親が何かを衝動買いしたり、飲み代を妻に追加請求していては説得力がなくなる。

子どものお金管理能力を養うには、まず、一ヵ月の小遣いの額を常識的な線に設定し、その範囲でやりくりさせることだ。そのために我が家では、私自身も妻から月初めに手渡された小遣いで収めるようにしている。

娘には月初めに五〇〇円を与えて、それ以上は与えない。中旬に使い切っても、下旬になって買いたいものが出てきたとせがんでも、甘い顔はしない。

ただ、娘にお小遣い帳をつけさせ、使う配分を考えさせたり、買いたいものがあれば、それが買えるよう計画的に貯金することを求める以上、私自身も物欲をコントロールせざるをえなくなる。

もしほしいものがあってもいったんは我慢し、限られた自分の小遣いの使い途《みち》を冷静になって考えたりする。

それでも手に入れたいなら、娘に「ほら、パパだってほしいもののために、ちゃんと貯めているんだよ」とわかるように貯金するよう心がけている。

それによって娘も、小遣いをここで使うべきか、温存すべきかなど考えるようになってきた。本当にほしいものとそうでないものの分別や、目新しいものを見たときの（ほしい！）という心の高ぶりを少しでも制御する力、それに計画性などが身についてきたように思う。

33 父親が「オアシス」言葉の達人になれ！

私たち大人は「オアシス」言葉をうまく使いこなしているだろうか。

「オアシス」とは、「オ＝お願いします、ア＝ありがとうございます、シ＝失礼します、ス＝すみません」という、人との円滑なコミュニケーションには欠かせない言葉である。

「『お願いします』『ありがとう』や『失礼します』『すみません』。これらの言葉を有効に使える人は選挙で勝てる」

自民党の選挙担当者でさえ、衆議院選挙や参議院選挙の際には、新人候補に選挙戦に勝つ秘訣として伝授しているくらいだ。

「〇〇党の△△でございます。よろしくお願いします」

「ご声援、ありがとうございます」

「お休みのところ、失礼します」

「いろいろと助けていただいてすみません」

なるほど、これらの言葉を使いこなせば何とかなりそうだ。

このうち「お願いします」は、丁寧さと謙虚さ、それに前向きな態度も示す便利な言葉だ。

「○○ちゃん、回覧板を渡してきてください。お願いします」

「お父さんにやらせてみて。お願い！」

また、「ありがとう」は言うまでもなく、言われた側も言った側の心も温かくしてくれる言葉である。

「お手伝いしてくれてありがとう」

「このコーヒー、○○ちゃんが入れてくれたの？　ありがとう」

さらに「失礼します」は、家庭内では使う頻度が低いが、公共の場に出たときなどに使えば、子どもも自然に使い方を学ぶ。

「後ろ、ちょっと失礼します」

「もしもし、△△さんですか？　夜分に失礼いたします」

四つ目の「すみません」も素直な子どもに育てるには必要な言葉だ。

「パパが忘れてたよ。すまん」

「お父さんが言い過ぎたね。ごめんね（＝すまないね）」

これらの言葉を、父親が普段の生活の中で実践できている家庭の子どもは、感謝の気持ちや謙虚さ、人間として身につけたい礼儀が知らずしらずのうちに身につき、学力もぐんと伸びていくことが多い。

難関中学に合格した子どもがいる家庭におじゃましても、父親を含め両親が頻繁にこの「オアシス」言葉を使っていることに気づく。

「今日はお運びいただきありがとうございます」

「是非、いい原稿に仕上げてください。よろしくお願いします」

「とりとめのない話ですみませんでした」

こちらが取材で押しかけている立場なのに、ここまで下手《したて》に出られると恐縮してしまうが、それだけ日々の生活で「オアシス」言葉が習慣となっている証拠でもある。

私はこれらの「オアシス」言葉に、「おはよう」「おやすみ」「おかえり」といった家庭版の「オアシス」言葉も加え、父親が子どもとの会話でも積極的に取り入れることが大事だと考えている。

社会人として年数を重ねると、なんとなく気恥ずかしくて職場などでもなかなか「オアシス」言葉が言えなくなる。

家族間ともなると、もっと適当な会話で済ませてしまいがちだが、父親から「おはよう」「おやすみ」「おかえり」「お疲れさま」なども含めて、明るくはっきりと「オアシス」言葉が出るようになれば、子どもも他人とのコミュニケーションの中で明るく声がけができるようになる。

それを、（家族なんだからいいだろう）と軽く考え、たとえば「ありがとう」ではなく「どうもね」で終わらせたり、「お願いね」ではなく「やっといて」と命令したりしていると、子どもも感謝の気持ちを正しく伝えられず、傲慢《ごうまん》な子どもになる。

父親が「ごめんね」「すまないね」と言えない家庭の子どもは、間違いを犯しても自分の非を認めない子どもになってしまう。

何より、「オアシス」言葉が自然に出てくる父親は、社会人として成功する。（あの人はいいねえ）と第三者からの「引き」が増えてくるので、昇給や昇進、転職やスキルアップもうまくいくことが多い。

自分自身も成功し、息子や娘まで伸びていくのだから、「オアシス」言葉をあなどってはいけないということになる。

34 息子とキッチンに立ち、娘と洗車をしよう

子どもとの対話が一番弾むのは、食事をしているときと、共同作業をしているときだ。

首都圏屈指の難関中学、東京・豊島岡女子学園中の二木謙一校長や関西圏有数の進学校、西大和学園中の今村浩章校長らは、異口同音に、「子どもを伸ばしたいと思えば、父子でする共同作業の機会を多く持ってほしい」と語る。

共同作業は、家族のコミュニケーションを豊かにし、思考力や集中力といった「目に見えない学力」を育むからである。

たとえば夕食作りだ。

子どもは男女を問わず、料理をするのが好きだ。粉をこねたり材料を切ったり、ほとんどの子どもが目を輝かせて取り組むものである。

母親とキッチンに立つのでも構わないが、一般的に母親よりも料理をする機会が少ない父親が、土曜日か日曜日の休日、子どもと一緒に夕食作りをすると、子ども

は伸びる。

なにより対話が増える。

私は第1章で、父親にはできるだけ早く帰宅してもらい、子どもと夕食をとってほしいと述べたが、実際には、(月～金の平日に夕食に間に合うように帰宅するなんて無理)という職種の父親もたくさんいるだろう。

しかし、平日になかなか子どもと向き合う時間がとれない父親が、休日に子どもと夕食作りをすれば、不足分を補ってあまりある対話ができる。

立命館小学校副校長の陰山英男氏や、杉並区立和田中学校の藤原和博校長ら授業改革で知られる教育者はみな、この親子の対話を重要視している。対話は、読書や漢字の書き取り、そして百ます計算といった読み書き計算の反復学習以上に、子どもの脳を活性化させる働きがあると位置づけているからだ。

さらに、料理という作業が持つ特徴にも注目したい。

料理には創意工夫が必要だ。何を作るかにはじまり、材料をどのようにアレンジするか、独自性を加えるにはどうすればいいか、出来上がったら盛りつけはどのようにすれば綺麗か、など、前もって考える習慣がつく。

私のように料理はからっきしダメな父親となると、子どもは子どもなりに(これは自分がしっかりしなくては）という気にもなる。

また、いつも母親が作ってくれている料理には、こんなに手間がかかっているのかとあらためて母親の偉大さに気づくことにもなるし、自分が作った料理を家族に「美味しい」と言って食べてもらえることで、「人に喜ばれる仕事をする」ことへの快感や、「家族の役に立った」「ひとつのことをやり遂げた」という達成感も得られる。

このほか、ジャガイモやネギを切るときなどは、手を切らないように気をつけなければならないので、集中力がつく。

牛や豚、鶏や魚、野菜や果物など生き物を扱うことで、食事前に「いただきます」と手を合わせることの本来の意味（＝動植物の命をいただく）を知ることもできるし、野菜の特性や水の大切さも学ぶことができる。

料理作りは、その煩雑な作業を通じて、子どもにさまざまな刺激を与えることができるので、男の子であっても一緒に取り組みたいものだ。

父子で取り組みたい作業はまだほかにもある。お風呂洗いや部屋掃除、花木への水やりや洗車などもそうだ。

子どもが女の子であっても、洗車や日曜大工の手伝いをさせてみるのもいい。愛車へのワックスがけや日曜大工などを通じて、「モノは大切に使う」「工夫して長持ちさせる」ことなどを教えてあげてほしい。

また、料理や洗車を問わず、子どもに道具出しから後片づけまで責任を持たせることで、それまではどこか浮ついていた子どもでも、見違えるようにしっかりしてくる。

早稲田実業学校初等部など首都圏の有名小学校では、入試や面接試験で雑巾しぼりをさせたり、絵で「お手伝い」について描かせたりする学校が多い。

首都圏の難関中学の入試でも、面接を課す学校では、「日頃、どんなお手伝いをしていますか」といった質問を受験生にぶつけてくる。

こうした学校では、家庭の中できちんと親のお手伝いをしてきた子どもほど、思考力や集中力、そして、任された仕事をしっかりやり遂げるという責任感などが身についており、入学したあとも伸びていくと判断しているのである。

35 説教するときは「叱る」→「ほめる」の順

「お前はとても素直だが、仕事が遅い」

「お前は仕事は遅いが、とても素直だ」

同じことを言っているふたつのセリフ。あなたに発せられた場合、どちらがグサッとくるだろうか。

「お前は〇〇だが、△△だ」と言われた場合、一般的には前半に出てきた「〇〇」よりも、後半に出てきた「△△」のほうが頭に残るものだ。

したがって先に述べたふたつのセリフだと、「お前は仕事は遅いが、とても素直だ」と言われたほうが、「素直」というほめ言葉が色濃く脳裏に残るので、嫌な気分になりにくい。

これを子育てに応用してみよう。

前述したように、子どもを見つめる際には、基本的に「この子はできる」と思うことからスタートすることが何より大切だ。

私は基本的に、子どもというものはほめておだてたほうが伸びると考えている。

ほめられれば誰でも嬉しいし、自信もつく。

「うちはスタートが遅く、小六の夏頃は志望校の合格圏にはほど遠かったのです。しかし、父親が、伸びている科目をほめ、努力している姿勢をほめ、きっと合格できると言い続けた結果、五戦して、第一志望を含め四勝できました」（女子学院中、鷗友学園女子中など合格者の母親）

「母親の私は結果に一喜一憂しがちだったですが、夫は常に息子に『お前はよくやっている』『お前はできる子なんだから大丈夫だ』というエールを送っていました。息子の合格は、夫が息子をホイホイしすぎるくらい、成績が伸び悩んでいる時もほめ続けてきたおかげでしょう」（海城中、市川中合格者の母親）

難関中学に子どもを合格させた親たちもこんなふうに語っているくらいだ。

それでもビシッと叱らなければいけない局面は、多々出てくる。事実、私が取材した難関中学合格者の家庭でも、母親から父親への今後の要望として、「ビシッと叱るべきところでは叱ってほしい」といった声が多く聞かれたものだ。

ただ、ほめるのは簡単だが叱るのは難しい。かといって叱るべきときに叱らなければ子どもは伸びない。

「約束を守らなかった」「自分より弱い子どもをいじめた」「いつまでもゲームに興

じている」など、叱る局面になった場合は、次のふたつを心がけてほしい。

ひとつは、あくまでも大人として子どもを叱るということだ。

口答えをされるなどして頭にくるあまり、大人である父親が子どもと同じレベルで叱ってはいけない。

「約束を守らないのなら、どこにも連れて行ってやらないぞ」

「いつになっても勉強しないのなら、ゲームを取り上げてしまうぞ」

といった表現は、「叱る」ではなく「怒る」に近い。

これでは、父親も子どもと立ち位置が同じになっていて、子ども同士の喧嘩と同じ状態になっている。

あくまで叱るという行為は、大人が子どもを教え諭《さと》すということであり、同じ土俵に立って怒りにまかせて喧嘩することではない。「叱る」と「怒る」は違うのだ。

もうひとつは、そうならないためのテクニックだが、さきほど述べたように、「叱る」→「ほめる」の順で、子どもにどこがいけなかったかを教え、さらに改善しようと思えるようにフォローするということである。

「約束を守らない人間は友達ができなくなるんだよ。お前は今までお父さんとの約束をちゃんと守ってきた子じゃないか」

「ゲームをするなら勉強を済ませてからにしなさい。やるべきことをしっかりやるというのがお前のいいところだろ？　それさえ済めば十五分間だけゲームしていいから」

といった具合に、言葉の前半で諭し、後半で子どもの長所やほめるべき点を見つけてフォローする方法を採り入れてみよう。

もし、叱る側の父親の気持ちにさらに余裕があれば、「ほめる」→「叱る」→「ほめる」、もしくは「フォローする」といったサンドイッチ型で子どもを諭すのがもっとも効果的だと思う。

もちろん、どんなふうに叱る場合でも、第1章6項でも述べたが、「子どもの人格を否定する叱り方はしない」「圧迫感を与える叱り方は避ける」「兄弟姉妹と比較しない」といった配慮は必要になる。

母親が子どもに「洗濯物をたたみなさい」「くつをそろえなさい」などと叱った場合、子どもは「だってパパだってやってないじゃん」と口答えすることがある。

そんなときは、「話をそらすんじゃない」などと逆上したり、「お兄ちゃんはお前より小さいときからできたよ」などと比べるのではなく、「じゃあパパもやろう」と歩み寄る姿勢を示す行動をとってほしいものである。

36 大事なことは家族会議を開いて決めよう

一年のうちには、家族で何かを決めなければならないことが何度か出てくる。子どものことでいえば、どの学校に進学するか、どこの塾に入るかにはじまり、習い事はどうするか、歯の矯正はいつから始めるかなど。

家族全体のことでも、夏の家族旅行はどこへ行くか、秋の近場の行楽はどうするか、犬を飼いたいがどうか、次はどんなソファーに買い替えるか……と、枚挙《まいきょ》にいとまがないくらいテーマはあるものだ。

私はそれらを、たとえ子どもに関わることではなくても、子どもも交えて家族全員で会議を開いて決めてほしいと思っている。

我が家では、しょっちゅう食卓会議が開かれる。これは娘が私立小学校を受験した頃からの習慣である。

これが結構、娘の成長にはプラスになっていると思っている。どちらかといえば引っ込み思案だった娘が、今ではむしろ自分の意見を主張するタイプに変貌を遂げたからだ。

たとえば、春休みに三泊四日でどこかへ行こうとした場合、家族でそれぞれ行きたい場所をプレゼンテーションしてみよう。

地図や旅行のパンフレット、それにインターネットなどで調べた地域の観光情報などを持ち寄り、「なぜ京都がいいのか」「軽井沢がいいと思う理由」「どうしても韓国・ソウルでなければならないわけ」を発表するのである。

家具や家電を買う場合も、新たにワンちゃんを購入しようとする場合も同じで、色や機能、犬種などについて全員でプレゼンテーションし意見を交わすことで、子どもはしだいに自分の考えを順序だてて話せるようになる。

何かについて調べる力や、（お母さんのアイデアはここがいいな）（ボクの考えのほうがこの点が優れている）など、子どもなりに考え、判断できる力がついてくる。

テーマによっては、子どもが議長役を務めるのもいい。議長は公平に発言時間を確保する舵《かじ》取り役であり、出てきた意見を整理する係でもあるので、調整能力も問われる。

最初は稚拙でも数を重ねていくうちに、根拠に基づいたプレゼンや意見を集約しての議事進行ができるようになるので、どんな小さなテーマからでも試してみることをおすすめしたい。

第4章

父親は社会を教えるニュースキャスター

37「ノーテレビデー」をつくろう

この章では、父親がニュースキャスターになったつもりで、さまざまなメディアを通じて、世の中というものを子どもに教えてあげてほしいという話をしたいと思う。

しかしその前に、メディアと言えば真っ先に思い浮かぶテレビの視聴時間について触れておきたい。

難関中学に子どもを合格させた家庭を訪問して驚かされることがいくつかある。ひとつは先にも述べたように、子どもに自分の部屋ではなく、食卓やリビングで勉強させてきたということ。もうひとつは、家族が集まる場所であるリビングに超大型の薄型テレビなどない家庭が多いということだ。

女子校では全国最難関の東京・桜蔭中に子どもを合格させた家庭では、一四型の小さなテレビがポツンと置いてあるだけ。慶応や早稲田の附属中を総なめにした家庭も、居間ではなく和室に旧式のテレビが置かれてあるだけだった。

つまり、子どもの学力を伸ばすことに成功した家庭では、テレビをリビングの中心に置くような生活をしてこなかったということになる。

現代の生活で、まったくテレビをつけないという生活は考えられない。かといって、ずっとテレビをつけているような家庭、とりわけ、テレビに子どもの相手をさせているような家庭では子どもを伸ばすことは難しくなる。

「家庭でテレビを二時間以上見る子どもの学力は保証しません」

これは、カリスマ教育者として注目を集める杉並区立和田中学校の藤原和博校長の言葉である。

「子どもの学力が低下したのは『ゆとり教育』が原因ではありません。テレビの見過ぎ、ゲームのやり過ぎなどによる睡眠不足が原因です。テレビやゲームなど、いわゆるディスプレイを見る時間を一日二時間以内にすれば、学力は一年で向上します」

立命館小学校副校長の陰山英男氏も、藤原氏とまったく同じ考えだ。

教育情報企業のベネッセの調査によれば、子どもがテレビを見ている時間は、一日平均で四時間に達している。

これを一年に換算すれば、実に千四百時間もテレビを見ている計算になる。一日平均三時間の子どもでも、視聴時間は年間に千時間を軽く超えてしまうことになる。

これに対して、小学校での主要科目の授業時間は、年間で三百九十時間しかない。中学校でも英語を加えた主要五科目の授業時間は、年間で四百時間にとどまっている。

学力を鍛える授業時間が三百九十〜四百時間しかないのに対し、テレビを見る時間が千時間を超えていると、子どもは授業で受けるよりもテレビから強く影響を受けてしまうことになる。

「長時間、テレビを見ていた子どもに高学歴はいません」

藤原氏や陰山氏が口をそろえて語る理由は、ここにあるのだ。

言うまでもなくテレビは受け身のメディアだ。映し出される映像を眺めているだけなので、脳はほとんど作動しない。

特に脳の中で言語的知能や論理数学的知能、社会的知能や感情的知能をつかさどる「前頭連合野」が沈黙したまま、刺激的な内容だけがインプットされるため、長時間、テレビを見ている子どもの学力は伸びなくなってしまうのだ。

藤原氏らは、親が子どもに野放図にテレビを見させておいて、学力の低下を一方的に学校の責任だと押しつけるのはナンセンスだと言っているのである。

難関中学に子どもを合格させた家庭の中には、両親の寝室に大型テレビを置いていた家庭があった。食卓で勉強している子どもの気が散らないように、父親が提案したものだ。

我が家の場合、テレビはドーンとリビング中央に陣取っているが、私も極力、子どもが勉強している時間は、ニュース番組を除いて、我慢するようにしている。どうしても見たい娯楽番組があれば、DVDに録画し、子どもが寝てから楽しむようにしている。

（それじゃあ、あまりにストイックではないか？）（親だって見たいテレビ番組はあるし、気分転換くらいしてもいいじゃないか！）という声もあるだろう。

しかし、親にテレビを長時間見るという習慣がなくなれば、子どももテレビを見る時間がしだいに減ってくる。好きな本を読んだり、家族と過ごす時間を楽しむようになる。

今、宮城県や鳥取県三朝町、そしてさいたま市など多くの自治体で、「ノーテレビデー」という運動が広がりつつある。

家庭で「ノーテレビデー」とはいかなくても、見たい番組がない日などはテレビを消すとか、テレビに子どもの相手をさせないことくらいは徹底したいものだ。

38 親が「Vチップ」の役割を果たそう

「テレビを一切見るなとは言いません。選んで見てほしいです。それも親子で会話を交わしながら見てほしいですね」

こう語るのは、前述した藤原和博氏だ。私は藤原氏の意見を、多くの家庭でそのまま習慣にしてほしいと考えている。

我が家では、娘のテレビ視聴時間を一週間で五〜六時間程度に抑えている。また、少なくとも私か妻のどちらかと一緒に見るようにしている。

決まって見ているのが、NHKの朝のニュース番組『おはよう日本』と大河ドラマ、それに『週刊こどもニュース』。民放では日本テレビ系の『世界一受けたい授業』とフジテレビ系の『サザエさん』だ。

これらの番組を見せているのには、私なりにわけがある。

私たちの生活は、世の中の動きや時代の流れと切り離しては考えられないので、(今、何がどう動いているのか)を知る手がかりとしてテレビは欠かせない。

特にテレビのニュースは、教科書には載っていない、学校ともかけ離れた実社会で起きている社会問題を、端的に、しかも映像つきで見せてくれるので、子どもに現代社会について考えさせる格好の材料になる。

夕食時にはテレビを消している我が家ではあるが、朝は、子どもと少しでも「今、起きていること」について話をするために、ニュース番組を見ながら食事をとるようにしている。

ただ、朝だと時間に追われ、世の中の出来事についてじっくり話をする時間はないので、週末にその週の大きな出来事をまとめて解説してくれる『週刊こどもニュース』を見ることが多い。

ともすると、父親は日頃、帰宅が遅い罪滅ぼしにと子どもを外に連れ出しがちだ。それはそれでいいことなのだが、それと同時に家の中で、たとえば日本経済の現状と、今、勤めている職場の話を関連づけて話して聞かせることも、子どもを伸ばすには大事なことなのだ。

このほか、大河ドラマは日本の歴史を知るいい機会になるし、『世界一受けたい授業』も、科学や文化など子どもの関心を引くきっかけになりそうな番組だと思う。また『サザエさん』も、核家族化が進み季節感が乏しくなった今の時代に、大家族で食卓を囲む風景や四季折々の行事が随所に盛り込まれていていい。

これら以外では、オリンピックやサッカーW杯、フィギュアスケートの国際大会といったスポーツ中継や、動植物の生態を追ったドキュメンタリー番組なども、子どもにとってはプラスの影響があると考えている。

本来なら、子どもが自分で判断してためになりそうな番組を選び、子どもなりに考えながら視聴し、その時間も長時間にならないよう制御できればいいのだが、遊び盛りにそんな芸当ができる子どもはほとんどいない。

それにマスメディアで仕事をしている私から見れば、今のテレビ番組はまさに玉《ぎょく》石混交《せきこんこう》の状態で、いい番組もある反面、特に民放テレビは、景気の低迷が続いて以降、とにかく視聴率を上げて広告収入を増やそうと、これまで以上に視聴者に媚《こ》び、「やらせ」をはじめ、性表現や暴力シーンなど、行き過ぎた演出が増えたように感じる。

アメリカやカナダなど世界数ヵ国では、テレビに組み込まれたチップとテレビ局から送信される番組格づけ信号の組み合わせによって、青少年の健全な育成にマイナスになりそうな性表現や暴力シーンが多い番組を排除する「Vチップ」(「V」はバイオレンスの頭文字)が導入されている。

しかしわが国の場合は、一九九六年以降、当時の郵政省を中心に導入への議論はあったものの、テレビ局にかかる負担や番組制作上、表現方法が制限されるなどの問題から導入には至っていない。

だからこそ、家庭で、親が「Ｖチップ」の役割を果たすことが必要になってくるのである。

我が家でも、たまには学校での話題についていかせるために、日本テレビ系のお笑い番組『エンタの神様』を録画して見ることを黙認しているし、バラエティ番組や歌番組も見せることがある。

あまりにも見る番組を制限しすぎないほうが親子間の風通しがよくなるし、俗っぽい番組もときには見せておいたほうがいいという判断だが、基本線は、やはり親がある程度、良質な番組を選び、子どもにできるだけテレビ画面の映像を受け身のまま見せないようにすることだと思う。

「地球の温度が上がって南極の氷が解け始めたらどうなると思う？」

「真央ちゃんも美姫ちゃんも、努力を重ねてきたから表彰台に上がれたんだよ」

親子でこのような会話を交わしながら見ることだ。

また、「今日はこれだけ見る」など、親子でルールを決めておけば、長時間見ることを回避でき、チャンネル争いが生じた際なども効果的と思う。

39 テレビニュースから被害者の感情を学ばせよう

ここ数年、学校でのいじめ問題が深刻化している。読売新聞社が実施した世論調査では、いじめが急増している背景について次のような結果が出た。

◆**いじめ問題に関する全国世論調査**（二〇〇六年十一月実施　複数回答）

・親が社会のルールを教えていない　六五％
・他人の痛みを思いやることができない　五五％
・親が子どもの悩みを把握できていない　五二％
・教師の指導力や資質に問題がある　四八％

これを見ると、多くの人が「いじめは家庭教育に問題あり」と答えたことがわかる。上位の三つはいずれも家庭教育を問題視したものだ。

このうち、「社会のルール」を教えたり、「子どもの悩みを把握すること」は、これまで述べてきたように、日常生活の中で親子の対話を増やせば、かなりの部分で解消されると思うが、「他人の痛みを思いやること」を教えるにはどうすればいいのだろうか。

私は、テレビのニュース番組が一番の教材になると考えている。

ニュースは、人間の営みの中で生じる喜怒哀楽が凝縮された結晶のようなものだ。明るいニュースや喜ばしい出来事もあるが、画面に遺族や関係者の悲壮な顔が映し出される事件や事故も実に多い。

そういった映像を説明しながら、被害を受けた当事者やその肉親たちの思いを、子どもに想像させてみよう。

「お父さんが事故で死んじゃったんだって。残された家族はどんなに悲しいだろう」

「朝は元気に登校したわが子が同級生に刺される……。親はたまらないよね」

テレビのキャスターではなく、身近な存在である親自身がキャスターとなって、ニュースを見て心を痛めている様子を率直に口に出せば、子どもも同じように、被害を受けた人の立場で考えることができるようになる。

子どもを自殺に追いやる最近のいじめは、いくら学校で注意をしていても目に見えない手法で行われることが多い。

メールやブログで相手を誹謗中傷《ひぼうちゅうしょう》し、加害者はゲームをしているような感覚で相手を追い込んでいく。

加害者がメールなどで同調者を募り、クラス全員が水面下で参加する形でいじめが行われるので、発覚するまでに相当な時間がかかったりする。

こういう時代だからこそ、学校任せにせず、自分の子どもを加害者や被害者にしないことが親の責務になる。

子どもとニュースを見ながら、被害者の感情について話をしよう。被害者やその関係者たちの苦しみや無念さ、悲しさを語ろう。

そして、加害者の問題点や人として欠けている点などを親子で一緒に話す機会を少しずつ増やしていくことが、子どもを知らずしらずのうちに、人の気持ちがわかる人間へと成長させるベースとなるのである。

40 父子で新聞を読もう

テレビと同じように、親子で、特に父子で見てほしいものに新聞がある。

日本新聞協会が、「教育に新聞を！」と、ＮＩＥ（＝Newspaper in Education）運動を提唱して二十年以上になる。

二〇〇五年三月には日本ＮＩＥ学会が設立され、朝日や毎日といった全国紙だけでなく、読者が複数の県にまたがるブロック紙や販売エリアが県単位の地方紙も、それぞれの地域にある小・中学校や教育委員会と協力して、学校で新聞を読んだり、作ったりする授業に全面的に協力している。

これらの活動は、子どもたちがメディアからの情報を読み解き、取捨選択して活用できるようになる力（＝メディアリテラシー）を育む上で大きな貢献をしていると私は思う。

中でも、近年注目されているのが、家庭でのＮＩＥ、いわゆるファミリーフォーカスだ。

何も難しく考えることはない。父子で新聞を広げ、ああだ、こうだと話をすることが第一歩なのである。

朝刊ひとつとっても、父親が通勤前に読んでおしまい……というのではもったいない。子どもにも見せ、帰宅後に子どもが興味を持った記事について、父親がキャスター役になって一緒に考えてあげる習慣を持とう。

最初は、「レッドソックスで活躍する松坂」とか「北朝鮮のテポドンミサイル」といった取っつきやすいものでいい。子どもが考えをまとめられなければ、父親が教えてあげるスタンスでかまわない。

しかし、子どもが小学校高学年ともなれば、ひとつの記事から次の疑問へと展開し、事件の経過を追ったり、子どもなりの考察を加えることができるようになるので、同じ松坂大輔投手の話でも「日本人選手のメジャー流出問題」、北朝鮮問題でも「核実験と拉致問題の関係」など、少し踏み込んだものにしていけばいい。

子どもに新聞記事から気になるテーマを選ばせ、父親と子どもで賛成派と反対派にわかれて討論してみるとか、他の媒体で詳しく調べてみるとか、あるいは、別の新聞と比較してみるなど、さまざまなやり方で、話し合う中身を深めることも可能になる。

その大前提となるのが、父親自らが新聞に興味を持つことだ。（私はいつもしっかり新聞を読んでいるよ。何をいまさら?)という方が多いかもしれないが、私が申し上げたいのは、新聞を読むだけでなく、新聞というメディア自体に興味を持ってほしいということだ。

新聞というメディアがどんな特性があるメディアなのか。取材から記事になるまでどういうふうに作られているのか。あるいは何万部くらい発行されているのか、などをネット検索でいいからチェックしておこう。

もし、最寄りの新聞社で見学会を実施しているところがあるなら、家族で参加してみる手もある。

そして、たとえ付け焼刃でも、次のような新聞に関するうんちく話でも語りながら、子どもと新聞を広げれば、子どもも(新聞って面白いな)と思うようになる。

○新聞には約二〇万字が印刷されている。本にすると新書や文庫二冊分の量がある。

○新聞は一面にトップ級記事が並ぶが、基本的には右ページより左ページ(奇数ページ)に大きな記事や社説を掲載している。これは、右利きの人が新聞を開いていくと、視線の多くはまず左ページに注がれるということを考慮しているため。

○普通の新聞は切り抜くと裏面の記事を中途半端に切ってしまうが、日本経済新聞は、切り取っても裏の記事が見やすいように切り取れるように作られていることが多い。

○朝刊を見ると、「13版」とか「14版」といった文字が左上部に書かれているが、数字が大きいほど最新版。

○ベタ記事(下のほうに一段でまとめられた小さな記事)から大きなニュースへと発展する可能性がある。

○新聞用語はユニーク。「政府首脳」＝官房長官、「検察関係者」＝検察官そのもの。「見通し」＝九〇％以上確実、「一両日中に立件」＝今日にも逮捕、「成り行きが注目される」＝まだどうなるかわからない。

まずは新聞というメディアに親しみや関心を持たせるようにしながら、紙上に掲載されている記事について、徐々に話をする機会を増やしていけばいい。

41 ラジオニュースを聴こう

和歌山県立医科大学附属病院の板倉徹院長が書いた『ラジオは脳にきく』（東洋経済新報社）。

携帯やテレビ、パソコンといった視覚に頼りすぎた生活では脳が萎縮《いしゅく》してしまうので、ラジオを聴き、場面を想像することで脳を活性化させましょうというものだ。

私も在京ラジオ局に勤務する人間として、ラジオを聴くことの効果をお伝えしたいと思う。

難関中学に子どもを合格させた家庭の中に、夕方のラジオニュースを聴かせていた家庭がある。

私がラジオ局の人間だと知っているので、そう語ってくれたのかと思っていたら、聴く力と集中力を養うために本当に効果があったというのだ。

麻布中や市川中など、東京や千葉の難関校に全勝したこの家庭では、かつて私がキャスターをしていた文化放送系の全国ネット番組『ニュースパレード』を聴いたあと、テレビでニュースを見せるということを、小四〜五年生の頃、週に数回続けてきたという。

手前味噌な話だが、この『ニュースパレード』という番組は、キャスターが原稿を読むだけでなく、記者会見の音や事件現場のノイズなど、イマジネーションが湧きやすい音が豊富に使われている。

この家庭の場合は、単調なNHKラジオのニュースではなく、『ニュースパレード』を聴かせることで、

（この大臣はどんな顔をしているのかな）

（裁判所に出廷した被告は、きっとこんな表情をしたのだろう）

（事件現場はきっとこんな感じになっているのだろう）

といった子どもの想像力を高めようと考えたのだ。

ラジオは、テレビのように映像はもちろん、フリップも字幕もない音声だけのメディアだ。それだけに想像力が必要になるし、喋り手が何について話しているかを理解するには集中力も求められる。

全国の私立中の中には、子どもに集中力をつけるため、週に一度、校長の講話を一字一句間違えないようにノートに書き写させる学校があるが、ラジオニュースも

同じ効果があるということになる。

「できれば小学生時代に集中力をつけておく必要があります。陰山英男さんが公立小の校長時代、子どもたちに百ます計算や辞書引きをやらせたのは、何よりも先に集中力を高めるためですよ。集中力を高めたからこそ、陰山学級の子どもたちの学業成績がアップしたんです。私もまったく彼には同感で、遅くとも中学校卒業時点で集中力が培われていないと、高校以降、集中力が身につくことはまずありません」

これは、本書で再三紹介している杉並区立和田中学校の藤原和博校長の言葉だが、子どもを伸ばすには、それだけ集中力育成は重要なのだ。

（そんなメディア利用法もあったのか）

この家庭の話を聞き、ラジオ業界に長く身を置いている私は苦笑したものだが、この家庭では、ラジオでイメージさせたあと、夜のニュース番組を見ると、ニュースは二度頭に入るし、子ども自身がラジオでのイメージと実際に映像で見る実体のギャップを楽しむことができ、一石二鳥だったと話している。

42 子どもを我が家の気象予報士にしよう

ニュースで一番、生活に密着しているものは、政治でも国際紛争のニュースでもなく、天気予報である。

我が家では、娘を朝刊や朝のテレビニュースを見て、「今日はこんな天気になる」と家族に伝える係に任命している。

子どものことだからたまに忘れたり、東京ではないところの天気を伝えるポカもあるが、今日の降水確率や気温をはじめ、玄関の外に出て、(今日は実際の気温より暑い)とか(結構、肌寒い)といった体感情報、(ハナミズキの花芽が膨らんできたよ)とか、(庭のもみじがちょっと紅葉してきたね)と、季節の情報も伝えるのが役目だ。

子どもを一家の気象予報士にするとしっかりしてくる。

まず、家族に伝えなければいけないので責任感が身につく。四季の移ろいに敏感になるので、近所を散歩するのと同様に季節感が養われる。

さらに、自然というものを意識するので、昨今、深刻化が叫ばれている地球温暖化現象や異常気象についても気にかけるようになってくる。

テレビのニュースを見ても、天気予報については特に注意して見聞きするようになるので、天気が西から崩れるわけや冷夏や暖冬の原因などについても、子どもなりに理解するようになる。

こういったことは、学年が進めばある程度、理科で学ぶようになるし、中学受験をする子どもなら、進学塾でも習うことはできるだろう。

しかし、それらは必要に迫られてのもので、学校のテストや模試の点数を上げるためのものでしかない。

一方、日頃から天気を気にかける習慣づけをしておくと、目先の試験の点数だけでなく、地球サイズで天気を考えることができるようになる。

これはゴミ出しなど朝のお手伝いも同じだ。

ゴミ出しでいえば、単に自宅から集積所までゴミ袋を運んでいくだけでは不十分だ。

親子で一緒に、可燃ゴミや不燃ゴミ、資源ゴミを分別し、ゴミを出さない工夫やリサイクルについても話し合ってみてほしい。

そうすれば、（ゴミ出しをやらされている）という感覚ではなく、子どもなりにゴミから端を発し、環境問題にも無関心ではいられなくなるはずだ。

また、核家族化や夫婦共働き世帯が増える中、たとえ子どもでも、家族の構成員としての役割を果たすことが求められている。

しかし、核家族では、とかく子どもは過保護にされがちで、社会全体も少子高齢社会が進めば進むほど、貴重な子どもに甘く接することになるかもしれない。

私はそういう時代だからこそ逆に、子どもに社会の中でしっかりと生きていく力を身につけさせなければならないと考えている。

私が娘に気象予報士役を任せたのも、妻がゴミ出し係を担当させたのも、身近なことをきっかけに見えない学力をつけさせたいと思ったからだ。

子どもも家族のために役立っていると思うと、嬉しくなるものだ。教科書や参考書だけの知識だけでは芽生えない好奇心が、実際にやらせてみることで生まれ、どうすれば温暖化を防ぐことができるのか、環境を守ることができるのか、など自分から考え判断する力がついてくる。

おかげで我が家の場合、寒い朝に私が無意識にガスファンヒーターの設定温度を上げようとしたり、空き缶を可燃ゴミ用の袋にポイッと捨てようものなら、「パパ、ダメでしょ！」と、背中から娘の厳しい声が飛んでくる始末だ。

43『週刊こどもニュース』のキャスターになろう

我が家でほぼ毎週、私と娘が見ているNHKの『週刊こどもニュース』(＝総合テレビで毎週土曜日午後六時十分～四十二分に生放送)。

一週間に起きた主な出来事を、コンパクトにおさらいしてくれる『世の中まとめて一週間』や時事用語が理解できる『今週の大はてな』など、番組名どおり子どもにとってニュースがわかりやすく整理されているので、これまでに私が取材した小・中学校の教員にも、この番組をおすすめに挙げる人たちは多い。

私の場合、まず娘と一緒に見る。娘がさらに何かを聞いてくれれば、わかる範囲で答えるようにしている。

私は仕事柄、ニュースには精通しているほうなので、娘からの質問くらい軽く答えられるとタカをくっていたのだが、娘は、

「どうして北朝鮮のことを六つの国だけで話し合うの?」

「株ってなあに?　株が安くなるってどういうこと?」

「総理大臣と大統領はどう違うの?」

など、ニュースでいうイロハの「イ」を遠慮なく聞いてくるので、案外手ごわい。

それでも、私が出来事についてコメントしたり、娘にも意見を求めたりしているうちに、最初の頃は、事件を見ても「ひどいと思う」という程度にしか答えられなかったものが、今ではしっかり考えて答えてくるようになったので、やってきた甲斐はあったかなと思っている。

もし見逃したり、録画をし忘れても、ホームページに過去のニュースもまとめて掲載されているので、父親がキャスター役になって、子どもと一緒にニュースを考える時間を作ることは可能だ。

この『週刊こどもニュース』で設定されている鎌田家には、子どもが三人いて、長男、次男、長女はそれぞれ、中学三年〜中学一年生の設定のため、小学校低学年の子どもには若干、難しい言い回しも出てくる。

そういう場合はなおのこと、父親が番組を材料に、もっと平易な言葉に置き換えて説明してあげることができれば、十歳以下の子どもであっても、しだいに世の中の動きに目を向けるようになる。

◆例　なぜ日本全国で金属が盗まれる事件が多発しているのか？

・鉄の板や送電線、すべり台や半鐘、水道の蛇口まで盗まれている。
・盗まれるのは、それだけ世界的に金属の値段が上昇しているから。
・物は、ほしいと思う人が増えれば値段が上がり、少なくなれば下がる。
・今、世界の中で金属をほしいと思っている国がある。それが中国。
・中国は五輪や万博を控え、たくさん建物を建てているので、大量の金属が必要。
・そこで金属を盗み、中国へと流している人がいるのではないか？
・中国だけでなく、インドやブラジルなども建設ラッシュ。ますます金属が足りなくなる。

このように、おおまかで構わないので、一週間に起きた主な出来事を三つか四つ、それぞれ面倒くさがらずに順を追って話してあげれば、小学一、二年生でも理解できると思う。

もし、国立や私立の中学受験を考えている家庭ならなおのこと、受験対策としても父親キャスターに登場してもらいたい。

大手進学塾の日能研が、約一四〇校の二〇〇七年入試を調べたところ、「二〇〇七年問題」「イラク復興支援」「北朝鮮核実験」、それに「教育基本法」など、前年に新聞紙上をにぎわした時事問題が複数の学校で出題されていることがわかった。

——裁判員制度にはどんな特色がありますか?——(東京・成蹊中)

——環境を守るため、あなたが家庭内でとることができる行動を一五字以内で書きなさい——(神奈川・浅野中)

このように、受験生がきちんと社会の動きに目を向けているかを問う問題は年々増える傾向にあるため、単に時事用語を暗記するのではなく、家庭でニュースを話題にし、子どもも自分なりの意見がきちんと表現できる素地を作っておく必要があるのだ。

教材は何も『週刊こどもニュース』に限らなくてもいいが、日頃読んでいる新聞や、子ども向けに作られた朝日小学生新聞や、毎日小学生新聞などを材料にするなどして、社会の仕組みや今、何がどう動いているのかに目を向けさせてほしいものだ。

44 みのもんたを目指そう！

「家庭教育には『か・き・く・け・こ』の五つの要素が絶対に必要です。『か』は感動を与えること、『き』は興味を持たせること、『く』は工夫させること、『け』は健康を守ること、そして『こ』は好奇心いっぱいにさせることです」

こう語るのは、政府の教育再生会議のメンバー、関西大学の白石真澄教授だ。

私もまったく同感で、この「か・き・く・け・こ」のうち、感動、興味、好奇心といった要素は、父親がキャスター役となって世の中の出来事について話して聞かせる習慣があるかないかで、大きく左右されると考えている。

私たちが日頃、見聞きするニュースや出来事には、子どもにとっても身近な問題であったり、興味や好奇心を抱きそうなものが多いからだ。

「父親が世界を語る家庭の子どもは、自然と海外に目を向けるようになるものです。父親がスポーツや文化を語る家庭の子どもは、やはりスポーツや絵画に興味を持つものなのです」

これは、テレビドラマ『3年B組金八先生』で知られ、ふたりの娘の父親でもある武田鉄矢さんが私に語ってくれた教育論だが、実際に、難関中学に子どもを合格させた家庭を取材していても、父親の役回りは重要だということがわかる。

ただ、問題は「見せ方」だ。せっかく今日起きた大きなニュースについて話して聞かせても、子どもに感動を与えたり、興味を持たせたり、好奇心を喚起するような話し方でなければ効果は半減する。

これまで述べてきたように、話して聞かせる材料はテレビでも新聞でも構わないが、事実だけを淡々と説明するのではなく、子ども心に、（えっ？）（なぜ？）（どうして？）（すごい！）といった波紋を広げるような工夫が必要になってくる。

そこでおすすめしたいのが、みのもんた的話し方だ。みのさんの話し方は、喜怒哀楽のメリハリが効いている。たとえば、TBS系の朝の情報ワイド番組『みのもんたの朝ズバッ！』などを見ていると、怒るところでは思いっきり怒ってみせ、感動したことにはオーバーなまでのリアクションをする。

みのさんはお茶の間の大衆を意識しているので、目線が低く、難しい話題を難しいままに話したりしない。極論すれば、多少、理解が不足していても、自分の言葉に置き換え、ときには子どものように自分の感情を交えながら、世の中の動きを視聴者に語りかけてくる。だから人気があるのだ。

他のテレビキャスターだと、みのさんよりもはるかに冷静に話す。内容的には深く、より正確かもしれないが、子どものハートは揺さぶりにくい。

みのさん的に話せば、

「今世紀末には地球の温度が六度以上高くなっちゃうんだって。六度もだよ！　そうなると南極の氷山が融けちゃって、水没する国が出てくるんだよ。それを防げるのは人間しかいないんだよねー」

と身近な話になるが、普通のキャスター風に言えば、

「地球温暖化に関する国際会議が開かれて、このままいけば、地球の温度は今世紀末には最悪の場合、六度以上高くなるらしい。その場合、海面水位がかなり上昇してしまうんだよ。これは大問題だね」

と通り一遍の解説になってしまいがちだ。

これでは子どもの感想は（ふーん）で終わってしまう恐れがあるので、感動や興味、そして好奇心を呼び起こすには、みのさんのように、子どもの目線で気持ちを込めながら話す工夫が必要だと思う。

45 やじうま根性を持ち続けよう

ニュースや世の中の動きを語って聞かせるだけでなく、ときには現場へ行ってみることも大事だ。

以前、全国屈指の難関中学、開成中の社会科の入学試験で、次のような問題が出されたことがある。

――上野御徒町駅で地下鉄大江戸線に乗る時、都庁前駅に行くにはどうすればいいでしょう――

ア　一番線電車に乗らなければならない。
イ　二番線電車に乗らなければならない。
ウ　一番線でも二番線でもどちらに乗ってもよい。

東京に地下鉄大江戸線が開通してまもない頃に出された問題。答えは「ウ」で、環状線に近い大江戸線ではどちらに乗っても都庁前駅に着くというのが正解なのだが、日頃から電車の路線に興味を持ち、実際に乗ってみたことがある子ども以外はお手上げだったはずだ。

——人と川の関係についてどう考えますか。思うところを書きなさい——（武蔵中）

これも難関中学のひとつ、東京の武蔵中で出た入試問題だが、川遊びをしたり、川べりを歩いた経験がある子どものほうが、机上の勉強だけ積み重ねてきた子どもよりも、イメージがつかみやすいはずだ。

なにも中学受験に勝つために、話題のスポットへ行くことをすすめているわけではない。子どもは現場を見てみることで知識を得、想像力を膨らませるようになるということである。

興味や好奇心も、行ってみるのとみないのとでは全然違ってくるので、子どもに社会を教えるキャスター役の父親としてはむしろ、やじうま感覚で、地域のトレンディスポットやニュースの舞台となった場所には、足しげく子どもを連れて行ってあげてほしい。

○子どもの夏休みなどには、ちょっと旅行気分でNHK大河ドラマの舞台となっている地域を歩いてみる。

○少し時間や金銭的にゆとりがあれば、アメリカ同時多発テロ事件が起きたニューヨークのグラウンドゼロを見に行く。

○阪神淡路地方や新潟中越地方など、大きな震災が起きた地域を数年後に訪ねてみる。

○選挙があれば候補者の選挙対策本部を子連れでのぞいてみる。

○最寄りの空港や港に軍用機や護衛艦などがやってきた場合は、見に行く。

○六本木ヒルズなどニュースで大きな話題となった場所を、訪れてみる。

○テレビで釣りや川遊びなどの映像を見たら、近くでできる場所を探して、子どもとやってみる。

○絵画展やコンサート、スポーツイベントなどがあれば行ってみる。

○祭りや運動会など住んでいる地域独自の催事には、子どもを連れて参加してみる。

たとえば我が家では、ここに列記したようなことを積極的にしているが、直接、自分の目で見ることによって、娘はかなり日本の歴史や時事問題、それに地域の催しなどに興味を持つようになってきた。

それが、先に述べた、読み書き計算など「目に見える学力」の向上にすぐに結びつくわけではないが、体験したことについて父子で対話を重ねていくうちに、思考力や表現力といった「見えない学力」が伸びてきたと手応えを感じている。

是非、テレビや新聞、ラジオなどで見聞きしたものの中から、父親自身が（ちょっと見てみたいな）と思う場所に、子どもを誘って連れて行ってほしいと思う。

ただ、度が過ぎて、一日に何ヵ所もはしごするのはよくない。（自分が休みのときに、A地点、B地点、そしてC地点も一気に連れて回ってやろう）などと考えてしまうと、子どもにとってはどれも印象が薄いままに終わってしまうので、あまり欲張らないほうが賢明だ。

46 パソコンの利用の仕方を教えよう

父親がニュースキャスター役となって子どもと世の中の動きについて語るとき、必要となるのがパソコンだ。

先に述べたように、子どもの疑問に答えるため、毎度、インターネットで調べるというのは考えもので、ときには事典や辞書で調べてみる習慣をつけてほしいのだが、それでも瞬時にいろいろなものを引き出すことができるパソコンは、子どもへの情報教育を考えるうえで不可欠な存在だ。

しかし、いくら不可欠な存在とはいえ、それを子ども部屋に置くことはおすすめできない。

今や、パソコンもテレビと同様、一家に複数ある時代になった。そうなると、たとえば、リビングなどにデスクトップ型のパソコンを置き、子ども部屋にもノート型パソコンを置くというパターンになりかねないが、デスクトップ型であれ、ノート型であれ、親の目が届かないところで、子どもが自由にインターネットを利用でき、ゲームに興じることが可能になるような環境は作らないでいただきたい。

ネットから得た情報に刺激され、犯罪に走る子ども。親に無断でゲームサイトに登録し、月に数万円も使い込んでしまう子ども。そして、大人と交流し、裸の写真をウェブ上に貼り付けたり援助交際にはまる子ども。さらには、掲示板を利用して特定の子どもをいじめてしまう子ども……。

記者としての私の取材経験でいえば、こうしたケースは、親が無条件で子どもにパソコンを与え、自由に利用できる環境を作ってしまったことに問題がある場合が多い。

今、「出会い」「アダルト」「ギャンブル」といった有害サイトへのインターネット接続を制限するフィルタリングサービスが、教育関係者の間で注目を集めている。

それもそのはず、フィルタリング技術の開発などを手がけている株式会社ネットスターが、家庭における子どものネット利用について調査したところ、次のような興味深い結果が出た。

◆家庭での子どものインターネット利用実態調査（二〇〇七年二月、プレスリリースより抜粋　調査対象は小学一年〜中学三年生）

○両親がそばにいるときだけ利用する　三・九％
○両親がそばにいないときのほうが利用時間が長い　四一・三％
○両親がいるときもいないときも同じくらい利用する　三七・六％

これを見れば、多くの子どもが、親の目が届かないところでもインターネットを利用していることがわかる。

この調査によれば、「親がそばにいないとき」とは、「親が外出中」（七七・六％）、「自分の部屋」（二三・九％）、「友人宅」（六・五％）などとなっており、よく利用するウェブサイトとしては、「ゲームができるサイト」（五五・八％）、「子ども向けポータルサイト」（四二・一％）のほか、「大人向けのポータルサイト」（三二・〇％）と答えた子どももいたという。

こうなると、ネットスターなど企業によるフィルタリング技術の開発も大事だが、親の目によるフィルタリングも大切になってくる。

マイクロソフト創設者のビル・ゲイツ氏が、十歳になる娘に対し、宿題などに必要な時間を除いて、パソコンを利用する時間を厳しく制限したというニュースが話題になったことがある。

ずっとパソコンでゲームに夢中になっている娘にゲイツ氏は、「平日は四十五分、週末は一時間以内までにするように」と利用時間を制限したが、私たちもまた、まず父親が、子どものパソコン利用に関して、ルールを作ったり約束事を決めるところからスタートしたい。

①インターネットの利用は一日一時間まで（できればテレビ視聴時間と合わせて一時間半以内に）。
②夜八時以降は利用しない。
③パソコンはリビングに置き、親の許可を得てから使う（必ず親がいるところで使う）。
④知らない人とメールしたり、無断でサイトに登録しない。
⑤お友だちの家ではパソコンをやらない。

パソコンが生活の中で不可欠なツールになっている現代、有害サイトから子どもを守るため、パソコンの正しい利用法を教えるのも、世の中の動きを教える方法のひとつだと思う。

47 携帯電話のルールを明文化しよう

居場所の確認や安全対策を理由に、子どもの携帯電話保有率は、急速にアップしている。

子どもが使う携帯電話は、親の名義で契約する場合が多いため、実際にどこまで普及しているかを把握するのは難しいが、通信業界では、小学生で二割程度の子どもが携帯電話を所有しているとみている。

確かに、ＧＰＳによる位置確認情報や、防犯ブザー情報といった機能の進歩や、定額料金の導入は親にとってありがたい話だ。

しかし、ともすれば、犯罪の入り口になってしまうという点では、パソコン以上に頭を悩ませる機器であることも確かで、私立はもちろん公立の小・中学校でも、学校に携帯電話を持ち込ませないところが多数を占めている現状だ。

つまり、携帯電話は、便利さと危険性の両面を持ったツールで、それをどうまく利用するかが、家庭でも学校でも大きな課題のひとつなのである。

ダイヤモンド社とクロス・マーケティングが共同で実施した調査では、七六・三

％の家庭で、「子どもの携帯電話使用にルールを設けている」としながらも、その九七・四％が「口頭で決めただけ」と答えている実態が明らかになった。

この調査では、ルールを設けながらも口頭だけで済ませた結果、三分の一以上の子どもがルールを破っていることも判明し、あらためて、明文化したルール作りが求められる結果となっている。

塾通いや習い事をきっかけに、子どもに持たせることが多い携帯電話。最初は本来の目的である安全確認に使っていたものが、しだいに違う目的に使われるようになる場合が多い。

定額料金はありがたい反面、いくら使っても料金が同じなので、子どもが好き放題使うようになったという話も聞く。

携帯電話は一度持たせてしまうと、取り上げるのがなかなか難しいので、もし持たせるなら、悪用したり野放図《のほうず》に使うようになる前に、先の項で例示したパソコン使用のルール作り以上に、厳しくルールを作っておく必要がある。

たとえば次の四ヵ条だ。

○携帯電話は家族以外にかけない。

○iモードやゲーム、メールは一切禁止。
○学校には持っていかない。
○自分の部屋には持っていかない。

この四ヵ条のうち、どれかひとつでも破った場合は、携帯を取り上げるくらいの約束を文章にしておくことをすすめたい。

ちなみに我が家では、何度、娘が「ねえ、パパ、携帯買って！」とねだってこようと、「大学生にでもなったらね」と取り合わないことにしている。

（それでは、登下校時の安全確認や子どもとの連絡がとりにくくなるのでは？）という疑問を持たれる方もいるだろうが、安全面は、携帯電話でなくても、たとえば綜合警備保障が開発した位置検索セキュリティシステム「あんしんメイト」といった機器で対応できる。

あるいは、防犯ブザーを持たせ、「いかのおすし＝知らない人に付いていかない、車に乗らない、大声を出す、すぐ逃げる、誰かに知らせる」を徹底して教えることのほうが、子どもだって学ぶ部分が大きいと考えている。

子どもから親への連絡も、日頃の生活圏で一台くらいは公衆電話が見つかるはずだ。

携帯電話を持たせるということは、いつでもどこでも、親が知らない世界と接点が持てるようになることを意味する。子どもは携帯電話を手に入れることによって、十分な判断力がない年齢にもかかわらず、有害な情報や間違った情報があふれる社会に否応なく放り出されることにもなる。

加えて、パソコンにしても携帯電話にしても、IT機器に関しては子どものほうがまたたくまに親以上に習熟してしまうので、子どもが機器を駆使するようになってしまうと、私などはもう手が出せなくなってしまう。

そうなってくると、もう子どもが何をしているのか全く把握できなくなってくるので、私は、たとえ娘に猛反発を受けようと、少なくとも小・中学校時代は携帯電話を持たせないつもりだ。

立命館小学校副校長の陰山英男氏もこう話している。

「今の子育てを難しくしているのはメディア環境の変化です。子どもを取り巻くメディア環境を、いかに管理するかが親の務めです。テレビが見られるワンセグ携帯なんて断じて子どもに持たせてはいけませんし、親が携帯やパソコンとの付き合い方を、子どもが小学生時代から叩き込んでおかなくてはなりません」

48 ジャーナリストや医者の感覚を持たせよう

さまざまなメディアを通じて氾濫する情報。その中には子どもにとって有益なものもあれば、有害なものも多い。

私は、そういった環境の中で子どもを伸ばしていくには、子どもにもジャーナリスト、もしくは医者の感覚を持たせてみることをおすすめしたい。

これは何も子どもを将来、テレビ局や新聞社などの社員、あるいは医者や歯医者にするためではない。

もちろん、結果的にそうなってもいいのだが、メディアから流れてくる情報に対して、子どもの正しい判断力を養うには、ジャーナリスト的感覚、医者的感覚がとても大切なのだ。

ニュースの現場で生きてきた私からすれば、ジャーナリスト的感覚とは、もっと知りたいと思う好奇心だ。と同時に、この事件や事故はどうして起きたのだろうか、何を意味しているのだろうかと疑問を解き明かしていく探究心である。

さらに言うなら、この情報は本当だろうかと疑ってみたり、もっと違った見方があるのではないかと考えてみる姿勢である。

私たちプロにはもちろん不可欠なものだが、子どもも子どもなりに、こういった感覚を持つことができれば、テレビや新聞のニュース、あるいはネット情報を鵜呑《うの》みにしたり、表面だけなでるような見方が少なくなる。

当然、そんな芸当が最初からできる子どもはほとんどいないので、父親がテレビや新聞、ネットなどを見ながら子どもに、「このニュース、どう思った?」「もっとどんなことが知りたい?」「どうしてこんなことが起きたのだと思う?」などと語りかけながら、好奇心や探究心、子ども独自の視点などを誘導してあげてほしい。

本物のジャーナリストには、企画力、取材力、構成力、それに表現力が求められる。

それらをそのまま、子どもに求めるのは難しいが、夏休みや文化祭の課題で、学校から「何かについて調べてくるように」と指示があった場合などは、まさにこの四つの要素が問われるので、父子でニュースを見聞きしながら、あるいは課題に取り組みながら、ジャーナリスト的感覚を少しでも磨くように気をつけてあげるといい。

もうひとつは医者的感覚だ。

医者にとって必要なものは、専門知識などを除けば、やはり弱者へのいたわりの気持ちであり、人に対する思いやりであり、そして社会のために尽くすという使命感ということになる。

実際に全ての医者がこのような高邁《こうまい》な精神の持ち主かどうかはさておき、こうした感覚は、子どもがまともな大人に育っていくために、道徳上、どうしても植えつけておきたい要素である。

本章第39項で、テレビニュースから被害者の感情を学ばせようと述べたが、医者的感覚もある面、これに近い。

これも父子で、テレビを見たり新聞を広げながら、「いじめられた子の気持ちはどうなんだろうね？」「地震で避難している人に何をしてあげたい？」といった問いかけをしながら、弱者や困っている人を思いやる気持ち、世の中のために役に立とうとする思いを引き出してほしいと思う。

第5章

下流親から抜け出そう

49 給食代を感謝して払おう

私が教育現場を取材する中で、多くの先生から聞かされたのが、「親の質の低下」という言葉だ。年収の高低ではなく、精神的に下流な親＝ダメ親が増えたというのだ。

ゆとり教育が導入されて以降、学校のカリキュラムが大幅に変えられてきたが、それ以上に変化したのが親の態度だと先生たちは語る。

「学校教育に協力的な親が減り、教師をなめてかかったり、学校とは適当に付き合っておけばいいという感覚の親が増えましたね」

担任を「ちゃん」づけで呼んだり、ニックネームをつけて呼ぶ親。それどころか親子でファーストネームで呼び合うことをよしとしている親。さらには参観日にGパン姿でやってくる親。

学校という教育現場で親と接している先生たちは、

「自分たち教師を擁護するわけではありませんが、教師の質や授業内容よりも、親の質が低下したと思っています」

と嘆く。

親が子どもの担任の先生を「ちゃん」づけで呼んだり、適当にニックネームをつけて呼べば、子どもまで同じように呼び始め、先生を甘く見るようになる。

よく家庭で、母親が夫である父親を「パパのようになっちゃダメよ」などと話していると、子どももしだいに父親を尊敬しなくなるのと同じだ。

また、「ねえ、ケンジ？」「何？　ショウタ？」などと親子でファーストネームを呼び合うことを許している家庭は、一見、仲のいい家族に思えるかもしれないが、特に父親がこれをよしとしてしまえば、子どもは、一家の大黒柱である父親に畏敬《いけい》の念すら感じることなく、恐いものなしで成長していくことになる。

さらに、参観日や学校行事といえば、かつては父親は最低でもジャケット姿。母親は美容院でセットし、緊張した面持ちで出席したものだが、Ｇパンやスニーカー姿で参加したりすると、子どもも（学校ってその程度のものか）と思ったり、（うちの親、ちょっと恥ずかしいな）と思うようになってしまう。

当然、（自分のためにおめかしして来てくれた）という親への感謝の気持ちは、湧いてこないだろう。

現役の先生たちによれば、学校に対して親がきちんと接する習慣がない家庭の子どもは、学業成績が伸びないという。

仮に両親の学歴が高く、子どもの担任教師よりも一般的に難関とされる大学を出ていたり、父親が人も羨《うらや》む超一流企業に勤めていようと、先生は先生として、学校は学校として特別な存在として接していないと、子どもの意識が崩れてしまうからだ。

考えてみれば、〈学校はどうでもいいところ〉〈学校の先生なんてたいしたことない〉と思ってしまった子どもが、授業に集中するわけがないのである。

ここ数年、学校教育の現場では、給食費の滞納が社会問題となっている。

文部科学省の調べでは、年間に全国で二二億円を超える給食費が滞納状態にあり、滞納が多い学校では、他の予算から補塡《ほてん》したり、給食の質を落として対応している実態も明らかになった。

経済的な理由で支払えないというケースを除いて、小学校で月額約三九〇〇円、中学校で約四五〇〇円の給食費は気持ちよく払ってほしいと思う。

「こっちから給食を出してくれと頼んだわけではない」

「義務教育なんだから無料のはず。何で払わなければいけないのか？」

などと居直るのは論外だが、「高いよなあ」とか「どうせたいしたもの、食べさせてもらっていないんだろ？」など、子どもの前で話すこともやめてほしい。特に父親がケチな言葉を口に出すと、子どもから見て小さな存在に見えてしまう。

実際には高級車に乗り、ブランド品を多数所有できる余裕がありながら、細かいことでいちいち学校に文句を言ったり、わがままなことを言ってしまうと、子どもまで、その姿をまねるようになる。

このところ、親の年収の高低が、そのまま子どもの世代にも引き継がれてしまうという格差の世襲問題が指摘されている。しかし私はそれ以上に、親が精神的に下流でいると、子どもも下流意識を持った人間に成長していくと思う。

教材費や修学旅行参加費、卒業アルバム代といった諸費用も、もし、(高いな)と思うことがあったとしても、

「お父さんの頃はね、こんな勉強していたんだよ」

「京都、奈良かと思ったら北海道か。いいなあ」

「アルバムは一生の記念になるぞ。写真はいつ撮るんだ？」

といったように、子どもの心が弾む語りかけをしてあげてほしい。

50 「どうせ」「今さら」を言わないようにしよう

ベストセラーとなった著書『下流社会』（光文社新書）で知られるマーケティングアナリストの三浦展氏が、二〇〇六年四月に全国の男性一万人を対象に実施した調査で、興味深い結果が出た。

◆年齢別「階層意識」（学生を除く二十～四十四歳を対象にした調査結果から抜粋）

○三十～三十四歳　上流一五・八％　中流三七・九％　下流四六・三％
○三十五～三十九歳　上流一六・七％　中流四〇・九％　下流四二・四％
○四十～四十四歳　上流一八・一％　中流四〇・一％　下流四一・八％

これを見て分かるのは、三十～四十代の子育て世代の男性に、「自分は下流なんだ」という意識を持っている人が、四割以上もいるということだ。

下流意識を持っている人の多くは、自分の将来について悲観的で、「どうせ」「今さら」「もう遅い」などと、これからの人生についても、あきらめてしまっているケースが多いという。

この父親の意識の低さは、子どもにも引き継がれていく。

財団法人日本青少年研究所がまとめた日中韓三ヵ国の小学四〜六年生に対するアンケート調査によれば、「勉強ができる子どもになりたいか」の問いに、中国や韓国の小学生たちは八割近くが「なりたい」と答えたのに対し、日本の小学生の場合は半数以下だったというから驚きだ。

これをすぐさま、「父親の意識の低さを見て……」と判断するのは早計かもしれないが、少なくとも、(どうせ自分は課長どまり)(今さら新しいスキルを身につけてもどうなるものでもない)(これから自分を変えようとしてももう遅い)などと、父親自身が将来の可能性を否定してしまっている家庭で、意欲的な子どもは育ちにくいということは、言えるのではないだろうか。

我が家では、しばしば娘が、

「パパは早稲田大学を出て幸せ？」

「ラジオ局でお仕事ができて楽しい？」

などと質問してくる。

我が家でもご多分にもれず、娘にはある程度の大学には進学してもらいたいと願い、勉強することの大事さをそれとなく教えてきてはいる。しかしこのいたってシンプルな質問には、（なぜ、私は勉強しなければならないのか？）（その先には何があるのか？）という深い意味が込められているような気がして、（下手な答え方はできないぞ）と戸惑うことがある。

ここで、「ん？　別に幸せじゃないよ」とか「番組作りの仕事？　楽しくないよ」などと答えてしまうと、娘が（じゃあ、勉強してもその先にはいいことがないのね）と、学ぶことへの意欲を失ってしまうような気がするからだ。

私の場合、数秒悩んでから、こんな風に答えることにしている。

「全国から学生が集まる早稲田を出たから、いろいろな人たちと仲よくなれたんだと思うよ。パパのところには、日本全国だけでなく、世界からも年賀状やクリスマスカードが届くでしょ？　それはやっぱり早稲田を出たからなんだよ」

「ラジオの仕事を通じて、たくさんの人と会うでしょ？　それも総理大臣とか普通ではなかなか会えないような人とね。自分とは違う世界で生きている人から話を聞くのが楽しいいね。それと、放送を聴いてくれた人から感謝されたりすると、『この仕事をやってよかったな』と思うよ」

この答えが的を射ているかどうかはさておき、私は子どもに対し、父親として明るい未来を語り続けなければ、と思っている。

私自身が、「早稲田を出ようが東大を出ようが、パパだって、いつリストラされるかわからない世の中だ」とか、「どうせ頑張ったってラジオ局で出世できるわけがない。せいぜい中間管理職で定年だな」と、下流意識のままに現実を語れば、子どもまで夢を失くしてしまうのではないだろうか。

もっと悪い例でいえば、「勉強しないとお父さんみたいになっちゃうよ」などと、それが仮に現実でも、ストレートに子どもに語ってしまうと、夢をなくす以前に、父親をダメ親だと理解し、父親が語る言葉に耳を傾けなくなるのではないだろうか。

父親自身、今が不遇の時期であっても愚痴はほどほどにして、子どもには勉強した先にある明るい未来を語り、敬愛される人間であってほしい。

そして、父親の言葉を信じて机に向かっている子どもを見ながら、父親自身も、「どうせ」「今さら」「もう遅い」といった言葉とは決別し、五年先、十年先の自分に夢を馳せてみてはいかがだろうか。

51 何事もまず父親がチャレンジしよう

難関中学に子どもを合格させた家庭を取材してみると、どの父親もエネルギッシュであることがわかる。

異業種交流会を主宰したり、中国語やイタリア語など語学の習得を始めたり、あるいは、社会人を対象にした大学院に通ったりと、父親自身が新しいものに挑戦し続けている家庭が結構多い。

「私自身が語学を学んでいると、子どもに『小学生のうちから英語は勉強しておきなさい』と言うより、ずっと説得力があるように思うんですよ」（神奈川・浅野中合格者の保護者）

「いつも息子に『勉強しなさい』って言ってしまうのですが、その私が楽しそうに大学院で学んでいれば、子どもも学ぶということは楽しいことなんだと思うようになると思うんですよね」（筑波大附属駒場中、開成中合格者の保護者）

このように語る父親たちの職業は、一般的に高年収とみられている医師や弁護士などではなく、中小企業のサラリーマンだったり、市役所勤めの公務員だったりするが、共通しているのは、自分自身の生活が充実しているせいか、表情が底抜けに明るいということだ。

私は、こうした家庭の子どもが学力を伸ばし、見事、難関中学に合格できたのは、父親が発する「マイナスイオン」とでも言うべきパワーが、よい方向に作用した結果ではないかと考えている。

（親が学べば子どもも学ぶ）

（親がチャレンジすれば、子どももチャレンジ精神が旺盛になる）

（親が明るければ、子どもも明るい子に育つ）

毎年、難関中学合格者の家庭を取材させてもらう度に、私はこんな印象を強くするのである。

私も実は、娘が私立小学校に入学したのを契機に、新しいことに挑戦し続けている。

それは、私自身、四十歳を迎え、（このままラジオ局の記者やプロデューサーとして生きていくだけでいいのだろうか？）と疑問を持ち、たった一度の人生、別の可能性も見いだしておきたいと思うようになったことが、一番の要因だ。

在京ラジオ局に入社して二十年以上経てば、将来自分が、社内やマスメディアの世界でどれほどの存在になれるか、何となく見えてくるものだ。

六十歳で定年を迎えた団塊の世代の先輩記者たちの、その後の身の振りかたを見ていても、会社という組織から離れてどれくらい通用するかがわかってくるものである。

そこで、(なるようにしかならない) とあきらめてしまうのか、(いや、自分は違う可能性に賭けてみたい) と思うのかで、これからの人生は大きく違ってくると考えたのだ。

しかし、それだけでなく、日頃から娘に、「将来への大きな夢を持ちなさい」「自分がやりたいと思って始めたことは、最後までやりとおしなさい」などと話している手前、父親である私自らも範を示そうと思ったのである。

私の場合、子どもの頃から人前で話すことと文章を書くことを得意としていた。ただ、人前で話すことは、ラジオの仕事でずいぶんさせてもらったので、もうひとつの得意分野である書くことで、勝負しようと考えた。

ちょうどその頃、小学校に入った娘は学校から出される宿題の中で、日記や作文に苦労し、かなりの苦手意識を持っていたので、ますます (範を示すには執筆活動をしなくちゃ) という思いが強くなっていった。

それで、政治や教育問題を追いかけてきたジャーナリストの端くれとして、これまでの経験を生かしながら原稿を書き始めた。

最初の頃は、出版社に原稿を持ち込んでも、知名度や過去の実績で判断され、次々とボツにされては悔し泣きする日々が続いたが、その度に原稿を見直し、あきらめずに提出しているうちに、一冊、二冊……と著書の数が増えていった。

何冊も出せば、大学の講師をはじめ、子育てに関する講演や教育関係のアドバイザーなど、さまざまな依頼が舞い込むようになり、三冊目を出したあたりから、私の周りの環境が目に見えて変化し始めた。

人を取材する側だった私が、朝日新聞や日本経済新聞などから頻繁に取材を受けるようになり、本を出すにも出版社側から依頼がくるようになった。

娘も、そんな私の姿を一部始終見てきたせいか、苦手な日記や作文に積極的に取り組むようになった。実現できるかどうかはともかく、困っている人や苦しんでいる人を助けたいと、医師になる夢を持ち始めた。

そうした娘の変化を見ながら、やはり父親が何かにチャレンジする姿勢は大事なのだとあらためて思っている。

52 悩んでいるところを子どもに見せよう

子どもは、基本的に（遊びたい）（怠けたい）（嫌なことは避けたい）と考えるものだ。

しかし、それをそのままにしておくと、我慢ができない大人に成長し、すぐにキレたり、せっかく就職した職場を三年ももたず辞めたり、何かを得るために努力しようとしない人間になってしまう。

我慢とは、嫌なことをしぶしぶやることではない。遊びたくても、テレビを見たりゲームをしたくても、将来のために、気持ちをコントロールして今やるべきことを優先するというのも我慢である。

現代は格差社会とはいえ、経済が豊かになったせいで、多くの人が何でもすぐに手に入れられる時代になった。電化製品の進化は家事を軽減し、インターネットなどの発達も、いつでもどこでも苦労することなく、情報を手に入れることができる極めて便利な社会を生んだ。

しかし、ほしいものはすぐに手に入り、楽をすることも当たり前になった結果、大人がわがままになった。大人がわがままになった結果、その子どもたちまでわがままになってきている。

これを食い止めるのが、社会に出て働いている父親の役目ではないかと思う。

特効薬は、父親が努力している姿や我慢しているところを、子どもに見せることである。

先の項で述べた我が家のケースで言えば、私は頭の中にいい文章が浮かばず苦しんでいるところを、あますところなく娘に見せている。

どんなに疲れて帰宅しても、本業のラジオ局の仕事とは別に、毎日必ずパソコンに向かう姿や、やっとの思いで書き上げた原稿が、出版社であっけなくボツにされたりする現状もそのまま見せている。

その結果今では娘も、私が好きなテレビのスポーツ中継やドラマなどを我慢し、将来の夢に向けてパソコンを叩いていることを理解しているし、出版社に持ち込んで次々とボツにされても、数ヵ月後には必ずものにしている現状などを把握できるようになってきた。

「あきらめなければ、いつか必ず夢はかなう」

「継続こそ力なり」

「努力なくして成功なし」

といったことを、私が口にしなくても、日頃の家庭生活の中からつかんでくれたように感じる。

我が家では、私が率先して努力したり我慢しているところを見せるようにしているが、他に、父親がどのようにして今の生活を築き上げたのか、子どもの頃はどんな努力をしたのか、そして、どれだけ苦しい受験勉強をしてきたのかなど、過去に自分が頑張った体験談を話して聞かせるのもいい。

職場で若い部下に過去の栄光を延々と語る人は敬遠されがちだが、家庭で子どもに話す場合は別だ。

子どもは本来、親が大好きなものである。父親にしろ、母親にしろ、その子ども時代はどうだったのか、何に興味を持ち、どんな生活を送っていたのか、知りたいと思うものだ。中でも、もっとも身近な社会人である父親の過去の話は、目を輝かせて聞きたがるものである。

父親が、過去の失敗談なども交えながら、自分がどう生きてきたかを話して聞かせることは、子どもに(じゃあ僕も努力してみよう)(私も我慢してみよう)と思わせる効果を生むのだ。

53 夫婦の会話が一日一時間以上ありますか？

難関中学に子どもを合格させた一〇〇家族に実施したアンケート調査で、私は、「日頃、夫婦間でどれくらい会話をしていたのか」という質問を投げかけてみた。その結果が次のデータである。

◆平日、家庭でどれくらい夫婦だけの会話時間がありましたか。

○三十分未満…七％
○三十分～四十五分未満…一七％
○四十五分～一時間未満…四二％
○一時間以上…三四％

サンプルは一〇〇と少ないが、子どもの学力を伸ばすことに一定の成果を挙げた家庭では、一時間程度の会話時間を確保していたことが見てとれるはずだ。

一方、中学受験で失敗した家庭はどうだったのだろうか。

残念な結果に終わったため、調査に協力してくれる家庭が少なく、わずか一四家族への聞き取り調査でしかないが、平日の夫婦の会話時間は約三十五分と、合格させた家庭よりは、かなり少ないことがわかった。

夫婦の会話が少ない原因はさまざま考えられる。仕事が多忙であるとか、職種的にすれ違いの生活を送っているなど、家庭ごとに事情はあるだろう。

しかし、子どもを伸ばしたいと考えるなら、夫婦間でじっくり子どもについて話をする時間は確保してほしい。

子育ては、夫婦が同じ教育観に立つことからスタートする。

「俺は仕事で忙しいんだ。子どもの塾選び？　塾は基本的には反対だが、行かせたいなら好きにしろ」

「お前は子どもの音楽面の才能を伸ばしたいと言うが、俺はサッカー選手にさせたいんだ」

これでは、子どもから見て両親のスタンスがバラバラで、どうしたらいいのか迷ってしまう。

一般的に、母親は子どもといる時間が長く、細かいところまで見えているものだ。

その反面、学校や塾でのお友だちと比較してしまいがちで、小さなことに悩んだり、母親仲間の情報に流されやすい傾向がある。

人によっては、子どもの成績が、あたかも自分への評価であると思い込み、子どもを追い立ててしまうケースだってある。

しかし、父親は母親より客観的に子どもを見つめることができたり、社会的な視点で子どもの将来をとらえることができるので、会話を通して、わが子をどんな子どもに育てたいのか、子どもの何を伸ばしてやればいいのか、そして将来、進む大学をどのあたりに想定するのか、など共通認識を作っておくといいだろう。

ただ、近頃では、高学歴の父親の中に、母親以上に小・中学受験や高校受験に熱くなるタイプの人が増えた。

私立や国立校の学校説明会を取材しても、ここ数年、父親の参加者が急増し、父親が小学校受験や中学受験を主導するケースが多い。

そういう家庭なら、母親が少し冷静になって、子どもは受験戦争に耐えられるタイプなのか、それとも樹木だって水をやりすぎれば枯れてしまうように、あまり勉強に駆り立てず、しばらく好きなようにさせておくほうがいいタイプなのかなど、父親とは別のスタンスで、教育観をぶつけ合えばいいと思う。

54 過去の自分と子どもは別人だと考える

高学歴の父親であればあるほど、子どもにも自分と同じことを求めるものだ。前の項でも述べたが、小学校受験や中学受験に熱くなるタイプの父親は、自分自身が努力をして、偏差値の高い大学を卒業しているため、子どもにもつい、過度な受験勉強をさせてしまう人が多い。

高学歴の父親には、ふた通りのタイプがいる。ひとつは、自分が小学校から高校まで地方の公立校を卒業し、大学受験で苦労して念願の大学に合格した人。もうひとつは、私立か国立の難関中高一貫校を卒業して志望校に合格、もしくはエスカレーター式に附属系中・高一貫校から大学へと進んだ人だ。

前者は、子どもには自分のような苦労は味わわせたくないとの思いから、有名大学の附属系や進学実績が極めて高い中高一貫校を狙わせ、後者は、自分が中・高六年間を謳歌《おうか》してきた経験から、子どもにも同じ経験を、と受験雑誌をめくりはじめる。

ただ、どちらのタイプにも、陥りやすいワナがふたつ隠されているように私には思える。

まずは、価値観が古くなっている点だ。

小・中学受験をさせることはいいとして、問題となるのが志望校選びである。学校説明会に参加した父親と話をしてみると、「私立は早慶以外ダメ」とか、「旧帝大系のような、偏差値が高い有名大学に進学できる学校に通わせたい」など、保守的な価値観のまま、子どもを駆り立てている人が多い。

今の時代は、父親の時代とは学校への評価も変化しているし、学歴重視の社会もしだいに崩壊してきている時代だ。就職を例に考えても、どこの大学を出たかより、何ができるか、何をしてきたかが重要視される時代だ。

もちろん、ある程度の大学を出ていないと門前払いになる現実は変わらず、そこそこの大学に合格できる「目に見える学力」がないと、思考力や表現力といった、生き抜いていくために必要な「目に見えない学力」も身につかないので、私も、「子どもの進学先なんてどこでもいい」とは申し上げられない。

しかし、最終学歴となる大学のネームバリューに固執するあまり、十数年前の価値観で進学先を判断したり、子どもの性格や能力を見つめることなく、「あの学校に入れ！」とばかりに、塾に巨額の資金を投資するのはいかがなものかと思う。

もうひとつは、同じDNAを引き継いでいても、父親と子どもは全く別人である点だ。

たとえば、私は几帳面だが、娘はおおざっぱだ。何度、注意しても食べっぱなしで散らかしっぱなしだ。これだけは不思議と直らない。

私は子どもの頃からボーッとしている時間が好きではなく、本を読んだり遊んだり、常に何かをしていたいタイプだったが、娘はボーッと過ごすのが大好きな人間だ。放っておくと何時間でもボーッとしているので、違う人種に思えてくる。

しかし、それが彼女にとって居心地がいい世界なのだ。ほどよく散らかっている部屋のほうが落ち着くと語る人間がいるように、そして、普段のんびりできているからこそ、いざというとき力が出せるなどと述べる人間がいるように、娘の場合は、おおざっぱでボーッとしていることが「地」なのである。

そういった個性を考慮してあげられるのは親だけだ。それでも母親はとかくそれを叱りがちなので、父親がそれに輪をかけて追い立てれば、子どもは逃げ道を失う。

自分が高学歴だろうと、優秀な子ども時代を過ごしてきた自負があろうと、（自分の時代とは別）（自分と子どもは別の人間）と思うことが、子どもを見つめる基本線ではないかと思う。

55 我が子だけが持っている感性を見いだそう

父親が別に高学歴でなくとも、そして何の取柄《とりえ》がなくても、子どもは成績が優秀だったり、スポーツや芸術に秀《ひい》でていたりする可能性は多々ある。だから、（どうせうちの子はダメだろう）などと思ってはいけない。

むしろ父親は、（ひょっとしたら）（もしかすると）（まかりまちがうと）といったスタンスで、自分の過去は度外視して、子どもを観察してみることだ。

プロゴルファーの丸山茂樹選手の父親、護さんは、茂樹少年が三歳の頃、おもちゃとして買い与えたゴルフクラブを器用に使いこなしたことから、ゴルファーとしての素質を感じたという。

その後も護さんは、茂樹少年が、体を動かすことが好きで、ゴルフの真似ごとを楽しそうにしているのを見て、（この子をプロゴルファーに）と確信したと語っている。

全国屈指の難関中学である開成中に息子を合格させた父親は、本人いわく、自分自身が高校卒のため、息子にも過度な期待は寄せていなかったが、息子が小学校低学年の頃、パズルに興味を持ち、何時間でもパズルに興じているのを見て、（これは……）と感じたという。

難易度の高いパズルは思考力と集中力がなければ解けない。それを粘って解いていく姿に、漠然とではあるが（この子は将来、東大に入れるかも）と思ったことが、中学受験、それも最高峰の開成中を受験させようと考えたきっかけだったと語る。

スポーツと勉強。その違いはあるが、子どもの長所を見抜いた父親の観察力は、見事だったというほかない。

観察してほしいのは、子どものよい点だけではない。子どもが持っている感性も見極めてほしいと思っている。

以前、歌手のさだまさしさんが語ってくれたいい話がある。それは、さださんがパーソナリティを務めていたラジオ番組に、小学校の先生から一枚のハガキが届いたときの話だ。

その先生は昔、教え子に校庭の木の絵を描かせたことがあり、そのとき、生徒のひとりが、木を紫色で描いたという。

「どうして紫なの？　木の幹はそういう色をしていないんじゃないかなあ？」

先生がこう質問すると、その子は、

「僕は紫が大好きなんだ。この木も一番好きな木なんだ。だから大好きな木に大好きな色をあげたんだ」

と答えたというのだ。

本来なら木を紫色に塗るのはまちがいだ。通信簿では到底、いい評価はあげられない。しかし、その先生は、その子の感性に感動し、通信簿で評価してあげられない代わりに、（先生は君の感性を素晴らしいと思うよ）という意味を込めて、紙で金メダルを作ってプレゼントしたというのである。

数年後、その子は美大に進学し、昔もらった金メダルを大切に保管しながら絵画の勉強をしているというのだから、この先生があげた金メダルの意味は大きかったということになる。

「何だ？　この絵は！　紫色の木なんてどこにあるんだ！」

先生がこのように叱っていたら、その子は美大で絵画の勉強をすることはなかったかもしれない。

子どもを型にはまっているかどうかで評価するのではなく、この先生が教え子にしてあげたように、父親もまた、わが子だけが持っている感性を評価してやりたいものだ。

たとえば、宿題もろくにしないで、ひまがあったら虫ばかり追いかけているわが子を見て、つい文句のひとつも言いたくなるのが親だ。

学校の友だちが連れ立って公園で遊んでいるのに、わが子だけ自宅にこもり、ルービックキューブで遊んでいると心配になるのが親だ。

しかし、他の子どもと同じでないということは、必ずしも悪いことではない。

ひょっとしたら、それが子どもを伸ばすカギにもなるので、（これはうちの子の長所かもしれない）（類《たぐい》まれなる才能が開花しようとしているのかもしれない）くらいに考えて、じっくり見つめることが大事だと思う。

56 二十七歳になったときの子どもの姿を想像しよう

学校や塾での成績が下がると、私ですら（娘は何をやってんだ！）という気持ちになる。（理科が悪いな。う～ん、算数も伸び悩んでいるぞ。早いうちに手を打たないと大変なことになるな）と男親でありながら、つい悲観的になってしまうものだ。

しかし、ここで家庭学習の量を倍増したり、塾で開講している夏期講習や冬期講習などの講座を増やしたところで、目覚《めざま》しい効果は上がらない。

「単に東大・京大や早慶など一流大学への進学実績がいいからとか、有名校に子どもを入れると親も子どもも優越感に浸《ひた》れるとか、目先のことだけ考えて子どもを導くのはダメな親です」

私が取材した私立中で、こんな話をしてくれた校長先生がいる。私もまったく同感で、どういう大人にしたいかを念頭に子育てをし、仮に小・中学校受験をさせるのであれば、学校を選んでほしいと思っている。

たとえば、大学に入ったときの子どもを思い描くのではなく、子どもが二十七歳になったときの姿を、父親と母親で思い描いてみるのはどうだろう。

大学に入ったときの子どもを想像すれば、私だって、娘が東大の赤門をくぐっている姿を浮かべることがある。子どもにバカになってもらいたいと念じている親はいないので、(こんな大学に入ってくれればいいな) と想像するのは、一流どころの大学ばかりだ。

しかし、一流大学を出たところで、人間的に魅力がない子どもは社会に出て通用しない。

一流大学に入れようと思えば、何よりもまず、親は子どもに「目に見える学力」をつけさせようとするので、思考力や表現力、想像力といった「見えない学力」、そして周囲の誰とも仲よくやっていける協調性や優しさ、思いやりなどが、長い月日の間にスポイルされてしまう危険性がある。

偏差値の高い大学に通っている学生やOBがさまざまな事件を起こすのは、人間として肝心な部分が抜け落ちてしまっているためだ。

一方、二十七歳になった子どもを想像すれば、そういうリスクはかなり少なくなる。

二十七歳といえば、大学を出て社会人になり数年が経過した年齢だ。仕事に慣れ、結婚し、親になっているケースもある。

その時点で、どんな大人に成長していてほしいかをおおまかに描き、それに向けて、子どもを育んでいけば十分なのではないかと思っている。

「二十七歳になった息子は、本人の希望どおりいけば医者になっている頃。それまでにどこかの医学部に入らなければいけないから勉強は大変だが、人の命を救う仕事だけに頭でっかちの人間にしてはいけない」

「あの子の性格なら、地元で社会に貢献できるような仕事をしている年齢だろう。大学は高望みせず、ピアノが弾けるとか語学ができるとか、学歴以外の付加価値を身につけさせてやろう」

このような感じで、ときには子どもの考えを聞きながら、両親で子どもの将来について、目先のテストの成績や、入学させたい学校の偏差値だけに目を奪われることなく、長期的なプランを立てておくといいと思う。

その上で、子どもが小学校から中学校へと進学する際、学校を選べる地域に住んでいるのであれば、①近くの公立中、②学区外で通うことができる公立中、③県庁所在地などにある国立大附属中、④私立の中高一貫校、⑤最近増えている公立の中高一貫校、の五つの選択肢の中から、どの道を歩ませるのがベストか、判断すればいいのである。

57 父親自身が「夢への時間割」を生きよう

子どもの長所を見いだし、社会人になった子どもの姿を想像するのと同時に、父親自身も、「夢への時間割」を生きてほしいと思っている。

時間とは、今をどう生きるかの積み重ねである。いつも「時間がない」「忙しい」などとぼやきながら、時間に追われ、目の前の仕事をこなしているだけの人は、自分自身の生き方を大切にしていない人だ。

私が言う「夢への時間割」は、「時間＝人生」とするなら、夢や目標を持って、それに向かって生きていくという意味である。

人生八十年とすれば、人生は約七十万時間（二十四時間×三百六十五日×八十年）ある。三十歳の人なら約四十四万時間、四十歳の人でも三十五万時間もの人生が残されている。それを漫然と過ごすか、そうでないかで、父親自身の将来はもちろん、寝食を共にする家族のムードも大きく変わってくる。

（自分はどういう生き方をしたいのか）

（妻や子どものために、何をしてやりたいのか）

　このように心に問いかけ、何に向かって生きていくのか、はっきりさせてみよう。それが父親にとって当面の目指すべき「ゴール」とするなら、「ゴール」にたどり着くために何をどうすればいいのかを考え、ひとつずつ達成していけばいいのである。「夢への時間割」を生きるようになった父親は、おのずと時間の使い方に気を配るようになる。

　朝型生活に変え、午前中に猛然と仕事をこなして午後の時間にゆとりを持たせ、自己研鑽《けんさん》や家族との対話に時間を割くようになるかもしれない。

　何となくだらだらと過ごしていたオフの時間や休日の生活を見直し、限りがある自由時間を、「スキルを習得する時間」「体を鍛える時間」、そして「子どもと遊ぶ時間」などにうまく配分するようになるかもしれない。

　また、「夢への時間割」を生きるようになれば、父親自身の生活に角度がついてくる。

　「ゴール」にたどり着くプロセスは、つまるところ、「今の自分」と「目標とする自分」のギャップを埋めることを意味する。

　夢や目標の大きさによって、急傾斜を上るように努力をしなければならない場合もあれば、五度か一〇度の緩やかな角度でいいケースもある。「ゴール」を目指して生きることによって、少なくとものんべんだらりと過ごしていた毎日が、大きく変化してくる。

それが子どもにも「マイナスイオン」となって作用する。

まず、一家の大黒柱である父親がメリハリを効かせた生活を送るようになれば、子どももメリハリが効いた生活に変わっていく。時間を上手に使えるようになった子どもは学力も大きく伸びていく。

「父親が時間を上手に使うと、子どももだらだらしなくなるんですよ」（筑波大附属駒場中、開成中合格者の保護者）

「私が、ある資格取得の勉強を始めてからというもの、尻を叩かなくても、息子が計画的にいろいろなことをやるようになった気がします」（麻布中合格者の保護者）

父親が「夢への時間割」を生きることでの副産物はまだある。

何か壁にぶち当たる度に、（若い頃、もっとこうしておけばよかった）（あのとき、こうしておいてよかった）などと思うものだが、そういった自らの過去を子育てに役立てることができる点だ。

特に、（もっと本を読んでおけばよかった）（人前で話す訓練をしておけばよかった）といった過去に対する反省が、子どもを伸ばす参考になるのだ。

58 親の年収と子どもの学力は関係ない

受験戦争が過熱した一九七〇年代。この頃の親たちは、まだまだ高卒が多く、親ができることといえば、勉強をみてあげることよりも、夜食の世話や健康管理といったものが中心で、母親中心にならざるをえなかった側面がある。

しかし、七〇年代以降に生まれた子どもたち、つまり現在の子育て世代は、大学進学率が三〇％に達した時代を生きてきた世代である。親が大卒なら子どもも大卒にさせたい、それも一流大学を卒業させたいという思いが、母親ばかりでなく、父親をも突き動かしているように感じる。

首都圏や関西圏で私立や国立中学受験が過熱気味なのは、母親より父親のほうが熱心になってきているためでもある。

ただ、首都圏や関西圏でも、すべての父親が教育熱心かというとそうでもない。次のデータを見てほしい。このデータは、東京都が二〇〇三年度、都内の公立中に通う二年生を対象に実施した学力テストの結果と、自治体ごとの一人あたりの所得や中学受験率との相関関係を示したものだ。

◆子どもの学力と親の収入（東京都教育委員会ホームページなどから抜粋）

（平均年収の高い自治体）

自治体名	平均年収	主要科目平均点合計	私立＆国立中進学率
○港区	七五一万円	三七三・八点	三八・八％
○千代田区	六七七万円	三九三・八点	四六・七％
○渋谷区	六二〇万円	三八八・三点	三二・八％
○文京区	五四一万円	三九四・一点	四〇・一％
○世田谷区	五二一万円	三九一・五点	三〇・八％

（平均年収が低い自治体）

自治体名	平均年収	主要科目平均点合計	私立＆国立中進学率
○江戸川区	三七七万円	三五八・九点	一一・九％
○墨田区	三六六万円	三五七・二点	一五・三％
○荒川区	三六六万円	三五五・〇点	一八・六％
○葛飾区	三六四万円	三五七・四点	一三・一％

○足立区　　三五九万円　　三五〇・五点　　一一・二%

これを見れば明らかなように、親の平均年収が高い自治体は、学力テストの成績がよく、中学受験をさせる割合も高い。

中学受験をさせる家庭は、少なくとも教育熱心であるとするなら、高年収の親のほうが熱心で、その結果、子どもの学力も伸びていることがわかる。

東京・港区のこども未来財団が二〇〇五年に実施した「家計と子どもの進学調査」でも結果はほぼ同じで、子どもを大学まで進学させたいと答えた人の割合は、年収二〇〇〜四〇〇万円の家庭では四四%にすぎなかったが、年収六〇〇万円では六〇%、年収一〇〇〇万円では実に八九%が「進学させたい」と答えている。

つまり、子どもの進学に関する期待度は、年収が多いほど高いということになる。

確かに教育にはコストがかかる。中学、高校の六年間を公立校に通えば、総費用は約二九〇万円で済むが、私立の中高一貫校を選択すれば、平均で約六八〇万円もかかってしまう。

しかしながら、「うちはお金がないから……」などと年収格差を悲観しないでほしい。家計を理由に、子どもを伸ばすことをあきらめないでほしい。

東京大学学生生活調査室の実態調査では、東大生の中で年収一〇〇〇万円未満のご家庭の子どもが七〇%、さらに、年収四五〇万円未満のご家庭の子どもが一四%含まれていることが分かった。

また、文部科学省が二〇〇四年にまとめた学生生活調査でも、国立大学に子どもを通わせている親の約二〇%が年収五〇〇万円未満、約三〇%が年収六〇〇万円未満であることが明らかになっている。

それほど高額所得のご家庭でなくても、子どもを東大や国立大学に合格させることは可能なのだ。親の年収格差が子どもの学力や学歴格差に結びつくとは限らないのである。

無理して子どもを私立中に入れなくても、東大や京大に合格できる学力は十分養えるので、子どもに、「うちはお金ないぞ。大学まではやれないかもしれないし、私立は絶対に無理だからな」などと語るより、「どこまでやれるかわからないが、お父さんも頑張るからな」と言うほうが、子どもには父親が頼もしく映り、やる気になるものである。

59 ミスや失敗をごまかさない

私が勤務しているラジオ局の中で、言い訳ばかりする人がいる。

「聴取率が上がらないのは、ゲストの喋りが悪かったから」

「予算が少なくて聴取者プレゼントや大がかりな企画ができなかったから」

といった具合に、である。

喋りが悪いゲストを呼んだのも、上司との折衝で十分な予算を獲得できなかったのも、その人本人が悪いのだが、そういうことは棚に上げて、延々と「自分は悪くない」と主張するのだ。

こういう人はどこの組織にもひとりやふたりはいるものだが、言い訳をする習慣を家庭にまで持ち込むのは下流親である。

「成績が落ちたのは、飼い始めた犬がうるさくて勉強できなかったから」

「受験に失敗したのは、試験会場で隣の子の咳《せき》が気になったから」

親が言い訳をすれば、子どもも、自分のミスや力不足を他の原因にすり替えるようになる。

もっとよくないのが、親が子どもに代わって言い訳をすることだ。

「不得意な分野ばっかり、試験に出ちゃったらしいんだよ」

「数日前から風邪を引いてしまって、試合の日も熱が出たままだったんですよ」

勉強であれ、スポーツ大会やピアノコンクールであれ、子どもが招いた不本意な結果を、親が常に何かのせいにしていては、子どもも目の前の現実を、自分の問題として受け止められなくなる。

まだ、百歩譲って、母親がお腹を痛めて生んだ子どもの失敗を何とか取り繕おうとするならいい。

一家の大黒柱で、子どもからは畏敬の念で見られなければならない父親が、子どものミスまで代わって言い訳をするようになると、（きっとお父さんが何とかごまかしてくれる）（それに失敗したのは自分のせいではない）などと考えるようになる。

小・中学受験の現状を取材してきた私からすれば、自分自身が優秀だった父親ほど、この傾向が強いように感じる。

心の底では、（結果が出なかったのは息子の実力不足）（失敗したのは娘が努力を怠ってきたから）とわかっているのだが、父親自身のプライドが災いして、子どもをかばう言い訳に走らせてしまうケースが多いように思う。

これでは、父親本人がいかに優秀で、子どもに対して教育熱心でも、下流親だと言わざるをえない。

子どもにとって長く続くこれからの人生は、いつも順風満帆とは限らない。むしろ予期せぬ出来事の連続で、力不足のために念願が果たせないときもあれば、実力があっても周りの人間に足をすくわれることも多々ある。

わが子をたくましく成長させるには、子どもが何かミスしたときや、失敗を犯したとき、つらい思いに直面させることも必要なのではないだろうか。

「残念だったな。お父さんも悔しい。しかしな、今日のためにお前がどれくらい努力をしてきたかを考えてごらん」

このように、子どもに失敗の原因を考えさせながら、父親も素直に現実を受け止め、親子でたくましくなっていくことが大切なのだと思う。

60 父親のいい習慣が子どもを伸ばす

難関中学に子どもを合格させた家庭を取材して思うことは、(父親が、一人の人間として、当たり前の生活を続けてきた家庭の子どもは強い)ということである。

これは、個人の学歴や年収、社会人としての経歴などとはまったく関係ない。

夜更しをしない、休日だからといって昼まで寝たりしないといった規則正しい生活を送っている人。

暴飲暴食や偏食、食べ物の好き嫌いを極力控え、日頃から自身の健康管理に気を配っている人。

そして、周囲の人間とのコミュニケーションを楽しみ、家族を愛し、他人にも優しい接し方ができる人。

さらには、世の中の動きや季節の移ろいに敏感で、読書や人的交流によって自分を高めようと考えていたり、体を動かすことも面倒くさがらずやっているような人である。

これらが習慣になっている父親がいる家庭の子どもは、早寝早起きの生活が確立され、バランスよく食事をとり、両親や兄弟姉妹をはじめ、学校や塾の友だち、先生らとも良好な人間関係を築くことができるようになる。

また、父親の影響で、テレビなどで報道されるニュースに注意を払ったり、父親と出かけた公園やスタジアム、美術館や博物館、それに旅行先やアウトドアのキャンプ地などで、さまざまなものに興味を持つようにもなる。

精神科医で家族機能研究所代表の斎藤学氏によれば、子どもの心にはふたつの不安があり、その不安の波間をサーフィンしている状態だという。

ひとつは「親に見捨てられる不安」であり、もうひとつは「親に飲み込まれる不安」である。

子どもが必死になって勉強したり、懸命にスポーツに打ち込んだりするのは、まさしく「親に見捨てられる不安」があるためで、（お父さん、僕はちゃんとやっているよ、ほめて！）（私はこんなに頑張ってるよ、だから私を見て！）というサインだという。

だから、父親が忙しさや仕事の疲れを理由に、子どもを含めた家族と離れた存在でいたり、逆に、いつも「勉強しろ」「成績が落ちているぞ」などと、結果だけを気にしていると、子どもは心の中で見捨てられる不安が増幅され、ますます勉強やスポーツに身が入らなくなり、最悪の場合は問題行動に走ったりするのである。

また、小学生でも高学年を迎えると、ときに父親に反発したりするのは、自我の目覚めとともに「親に飲み込まれる不安」が生じるためだ。

父親が日頃の対話不足から、子どもの考えを聞かないまま、「もうピアノはやめて勉強に専念しろ」「受験するなら聞いたことがない学校はダメだからな」などと、大人の価値観だけで押し通そうとすると、子どもは（私はピアノだけはやめたくないんだけどなあ……）（お父さんにとっては聞いたことがない学校かもしれないけど、僕は気に入ったんだよなあ……）と反発しやすくなる。

かといって、子どもには、まだまだ自ら考え、それを親に伝える表現力がないので、心の中にわだかまりを抱えたまま成長することにもなりかねない。

ひどいケースになると、睡眠不足や運動不足、栄養の偏りなどでイライラが募った子どもが、中高生になって、これまでの不安や不満を一気に爆発させることだってあるのだ。

そういう点からも、私は世の中の父親に、当たり前のことを当たり前にできる大人でいてほしいと考えている。

規則正しい生活、健康維持のための食生活や適度な運動、そして家族との対話の充実や子どもをさまざまな場所へと連れて行く体験の重視……。どれも子どもに「見える学力」をつける即効性はないかもしれないが、こうした父親のいい習慣が、長い年月にわたって、子どもの心と体を安定させ、それが思考力や表現力、集中力や想像力といった「見えない学力」に結びついてくるのである。

前述したように、「見えない学力」と試験結果や偏差値で表される「見える学力」は連動しているので、「見えない学力」がつけば、「見える学力」もついてくる。ひいては、トータルな面で子どもを伸ばすことができるのである。

どんなに高い学歴があり、高年収を確保していても、仕事だけに力を注いで、子どもを顧みない父親は下流親である。

いかに職場の業績に貢献し、高い評価を受けていても、自身の生活が乱れ、家族とのコミュニケーションが希薄ではダメ親なのである。

ましてや、他人に優しくなかったり、自分の先行きをあきらめてしまい、現状維持で満足している人も、子どもを伸ばすことは難しい。

私自身も常に自分を省みて、下流親になりかけたら脱出するよう心がけているが、是非、皆さんも、「子どもを伸ばしたければ、まず自分から」を念頭に、子どもとの生活を満喫してほしいと思う。

あとがき

本編では、「子どもを伸ばすのは父親しだい」という観点から、子どもと対話する習慣、子どもに対して過干渉にならない程度に見つめる習慣、規則正しい生活をする習慣、そして、世の中の出来事を話して聞かせたり、父親自身が夢を持ち、新しいものに挑戦していく姿勢が大切だと述べてきた。

それを、見事に十ヵ条で表している学校が東京にある。居酒屋「和民」などの経営で知られ、また、政府の教育再生会議のメンバーにも名を連ねた渡邉美樹氏が理事長を務める郁文館夢学園だ。

郁文館という学校名は、創立者が、「郁郁乎《いくいくこ》として文なるかな」（＝いかにも華やかで立派）という孔子の『論語』からとったものだが、若い頃から『論語』に傾倒してきた渡邉理事長も、その教えを反映させた「郁文十訓」なる十ヵ条を学内に示してきたのでご紹介しよう。

一、笑顔で元気よく挨拶のできる礼儀正しい人となれ
一、「我以外皆、師なり」の心を持つ謙虚な人となれ

一、自ら学び、自ら律し、自ら歩む自立の人となれ
一、日々前進を試みる挑戦の人となれ
一、他人の喜び、悲しみを共有できる思いやりの人となれ
一、約束を守り、嘘をつかぬ誠実な人となれ
一、不正義を許さぬ勇気の人となれ
一、正しいと思い決めたことは、あきらめずに最後までやり遂げる忍耐強き人となれ
一、美しきものに感激できる正直の人となれ
一、成功の後に感謝できる素直な人となれ

これらは、主に在籍している中高生に向けてのものだが、私たち父親も習慣にしておきたいことばかりなので、本書の結びとして付け加えておきたい。

最後に、取材に協力していただいた学校関係者や保護者の皆さん、ならびに、本書の企画段階から、何かと相談にのっていただいたPHP研究所文庫出版部の越智秀樹さんに心から謝意を申し上げたいと思う。

参考文献

『天才は親が作る』（吉井妙子著　文春文庫）
『学力をつける食事』（廣瀬正義著　文春文庫ＰＬＵＳ）
『学力は家庭で伸びる』（陰山英男著　小学館文庫）
『中学受験わが子をつぶす親、伸ばす親』（安田　理著　生活人新書）
『才能を開花させる子供たち』（エレン・ウィナー著、片山陽子訳　日本放送出版協会）
『頭のよい子が育つ家』（四十万　靖、渡邊朗子共著　日経ＢＰ社）
『ラジオは脳にきく』（板倉　徹著　東洋経済新報社）
『ゼミナール　日本のマス・メディア』（春原昭彦、武市英雄共編　日本評論社）
『総合的な学習で新聞名人』（妹尾　彰、岸尾祐二、吉田伸弥共著　東洋館出版社）
『勉強できる子のママがしていること』（和田秀樹著　ＰＨＰ文庫）
『わが子を有名中学に入れる法』（清水克彦著、和田秀樹解説　ＰＨＰ新書）
『「叱らない」しつけ　子どもがグングン成長する親になる本』（親野智可等著　ＰＨＰ研究所）
『使う！「論語」』（渡邉美樹著　知的生きかた文庫）

『週刊ダイヤモンド別冊』二〇〇七年三月二十七日号（ダイヤモンド社）
『日経Ｋｉｄｓ＋』二〇〇七年四月号（日経ホーム出版社）

本書は、書き下ろし作品です。

著者紹介
清水克彦（しみず　かつひこ）
文化放送プロデューサー、江戸川大学メディアコミュニケーション学部講師。1962年、愛媛県生まれ。早稲田大学卒業後、文化放送入社。政治・外信記者を経て米国留学。帰国後、ニュースキャスターや国会担当キャップを歴任。現在は番組プロデューサーを務めるかたわら、教育ジャーナリスト、大学講師、南海放送コメンテーターとしても活躍中。
著書に『わが子を有名中学に入れる法』（ＰＨＰ新書）、『父親力で子どもを伸ばせ！』（寺子屋新書）、『ラジオ記者、走る』（新潮新書）、『人生、勝負は40歳から！』（ソフトバンク新書）、『出会って１分で相手の心をつかみなさい』（かんき出版）など。

ＰＨＰ文庫　頭のいい子が育つパパの習慣

2007年７月18日　第１版第１刷
2008年12月９日　第１版第19刷

著　者　清水克彦
発行者　江口克彦
発行所　ＰＨＰ研究所
東京本部　〒102-8331 千代田区三番町３番地10
文庫出版部 ☎03-3239-6259（編集）
普及一部 ☎03-3239-6233（販売）
京都本部　〒601-8411 京都市南区西九条北ノ内町11

PHP INTERFACE　http://www.php.co.jp/

制作協力
組　版　ＰＨＰエディターズ・グループ

印刷所
製本所　図書印刷株式会社

ISBN978-4-569-66884-0

PHP文庫

PHP文庫

菅原万美 お嬢様ルール入門
スーザン・ヘイワード 編 山川紘矢／山川亜希子 訳 聖なる知恵の言葉
鈴木秀子 9つの性格
世界博学倶楽部 「世界地理」なるほど雑学事典
関裕二 大化改新の謎
関裕二 壬申の乱の謎
瀬島龍三 大東亜戦争の実相
全国データ愛好会 47都道府県なんでもベスト10
曾野綾子 人は最期の日でさえやり直せる
大疑問研究会 大人の新常識520
太平洋戦争研究会 日本海軍がよくわかる事典
太平洋戦争研究会 日本陸軍がよくわかる事典
太平洋戦争研究会 日露戦争がよくわかる本
多賀一史 日本海軍艦艇ハンドブック
多湖輝 しつけの知恵
高嶋秀武 話のおもしろい人、つまらない人
髙嶌幸広 話し方上手になる本
髙嶌幸広 「話す力」が身につく本
高野澄 井伊直政
高橋安昭 会社の数字に強くなる本

高橋勝成 ゴルフ最短上達法
高橋克彦 風の陣［立志篇］
高宮和彦 監修 健康常識なるほど事典
財部誠一 カルロス・ゴーンは日産をいかにして変えたか
田口ランディ ミッドナイト・コール
匠英一 監修 「しぐさと心理」のウラ読み事典
田坂広志 仕事の思想
田島みるく 文／絵 お子様ってやつは
田島みるく 文／絵 「出産」ってやつは
立石優 范《はん》蠡《れい》
立川志の輔 選・監修 PHP研究所 編 古典落語100席
田中澄江 「しつけ」の上手《うま》い親・下手な親
田中鳴舟 みるみる字が上手くなる本
谷口克広 目からウロコの戦国時代
谷沢永一 渡部昇一 孫子・勝つために何をすべきか
田原紘 目からウロコのパット術
田原紘 ゴルフ下手が治る本
田辺聖子 恋する罪びと
丹波元 京都人と大阪人と神戸人
丹波元 まるかじり礼儀作法

柘植久慶 日露戦争名将伝
デニース・スコフィールド 小谷啓子 訳 少しの手間できれいに暮らす
童門冬二 「情」の管理・「知」の管理
童門冬二 上杉鷹山の経営学
童門冬二 男の論語（上）（下）
戸部民夫 「日本の神様」がよくわかる本
ドロシー・ロー・ノルト レイチャル・ハリス 石井千春 訳 子どもが育つ魔法の言葉
ドロシー・ロー・ノルト 石井千春／武者小路実昭 訳 子どもが育つ魔法の言葉 for the Heart
中江克己 お江戸の意外な生活事情
中江克己 お江戸の地名の意外な由来
永崎一則 人はことばに励まされ、ことばで鍛えられる
永崎一則 話力をつけるコツ
中島道子 松平忠輝
中曽根康弘 石原慎太郎 永遠なれ、日本
中谷彰宏 入社3年目までに勝負がつく77の法則
中谷彰宏 なぜ彼女にオーラを感じるのか
中谷彰宏 自分で考える人が成功する
中谷彰宏 時間に強い人が成功する
中谷彰宏 大学時代しなければならない50のこと
中谷彰宏 なぜあの人にまた会いたくなるのか